S0-BDP-148

El niño desobediente

Estrategias para su control

CRISTINA LARROY
MARÍA LUISA DE LA PUENTE

El niño desobediente

Estrategias para su control

EDICIONES PIRÁMIDE

COLECCIÓN "OJOS SOLARES"
Sección: Tratamiento

Director:
Francisco Xavier Méndez
Catedrático de Tratamiento Psicológico Infantil
de la Universidad de Murcia

Diseño de cubierta: C. Carabina

Juan Ignacio Luca de Tena, 15. 28027 Madrid
Teléfono: 91 393 89 89. Fax: 91 742 36 61
Depósito legal: M. 4.837-2001
ISBN: 84-368-0904-1
Printed in Spain
Impreso en Lavel, S. A.
Polígono Industrial Los Llanos. Gran Canaria, 12
Humanes de Madrid (Madrid)

A nuestros padres
y a nuestros hijos.

ÍNDICE

PRÓLOGO

Existe un dicho popular: «El niño es el padre del hombre». Por eso, si el niño aprende a comportarse de forma adecuada el hombre será una persona de bien; en caso contrario, el hombre acabará teniendo problemas de conducta. Pero para que el niño aprenda a comportarse de forma adecuada otros ya hombres (más propiamente en este caso los padres) han de enseñarle y deben hacerlo, asimismo, de manera adecuada. Este sencillo pero difícil objetivo es el punto central de la presente obra: cómo pueden las personas mayores (padres, maestros, psicólogos, etc.) enseñar al niño a comportarse de manera adecuada.

Pero si difícil es conseguir que el niño aprenda a comportarse de forma adecuada, más difícil aún es conseguir que los padres actúen de forma tal que colaboren a enseñarle a comportarse adecuadamente. Nunca se duda de la buena voluntad de los padres (educadores, profesionales implicados en esta tarea, etc.) ni de sus esfuerzos y trabajos para conseguirlo. Pero muchos esfuerzos pueden resultar baldíos o, peor aún, contraproducentes, si se desconoce cómo hay que actuar. No hay que olvidar que, por lo menos a los padres, rara vez se les ha enseñado cómo tratar o educar a los hijos; se espera que de forma espontánea sepan hacerlo. Pero esto es confiar en la eficacia de proceder por «ensayo y error», o en transmisiones genéticas no constatadas.

Es curioso que en nuestra sociedad se dedique más tiempo, esfuerzo y dinero a aspectos colaterales, como el aprender a conducir coches, que a aspectos tan centrales como la educación de los niños. Probablemente ésta sea una de las razones del por qué se fracasa con más frecuencia en este aspecto que en conducir coches. Es cierto que pueden colaborar a este estado de cosas otras razones, como el hecho de que la conducta de un niño sea más compleja que la de un coche (dependa de más factores), pero dado que la conducta de los niños, lo mismo que la de los adultos, se lleva a cabo de acuerdo con determinadas leyes generales del comportamiento, puede predecirse, explicarse y controlarse. Sólo es necesario conocer estas leyes y actuar de acuerdo con ellas. Si se conocen estas leyes será mucho más fácil la tarea de controlar las conductas o de enseñar a los niños a comportarse de manera adecuada.

La Psicología, hace tiempo comprometida en la tarea de descubrir las leyes que rigen las conductas de las personas, puede colaborar de forma eficaz en la labor de enseñar a los padres a conducirse de manera adecuada para enseñar al niño a comportarse, asimismo, de manera adecuada. Leyendo la presente obra se pone de relieve la valía de los conocimientos de unas expertas psicólogas, como las autoras que la han escrito. Se puede mejorar mucho la forma de actuar con los niños, de manera relativamente sencilla, sin que sean necesarias grandes modificaciones. Una exposición clara, precisa y amena puede hacer que los resultados de múltiples años de investigación sean asequibles a personas sin conocimientos especiales de psicología.

Queda aún un aspecto esencial: no sólo es necesario disponer de los conocimientos que permitan explicar, predecir y controlar las conductas de los niños, es necesario asimismo saber transmitirlos y exponerlos de forma eficaz. En este caso y dado el público al que va dirigida la obra, esencialmente padres, maestros, cuidadores y, en general, todas las personas relacionadas de forma más o menos directa con los niños, el exponerlos de manera eficaz consiste en hacerlo de forma precisa, sencilla y amena. Éste ha sido el reto que se impusieron las autoras de la obra, Cristina Larroy y María Luisa de la Puente, y que han conseguido superar con un éxito completo.

El planteamiento de los problemas es sencillo y operativo, no hace falta envolver en tecnicismos los aspectos esenciales de las leyes que rigen el comportamiento humano, puede decirse de forma precisa y a la vez clara e inteligible para personas con escasos conocimientos de Psicología. La brillante labor que estas profesionales vienen desempeñando como profesoras de la Facultad de Psicología de la Universidad Complutense no cabe duda que ha facilitado la creación de un libro sencillo, ameno, didáctico y práctico sobre el control de la conducta infantil.

El ámbito de aplicación de los procedimientos expuestos en el libro, aunque el título se reduce al «niño desobediente», es bastante amplio, pues abarca la mayor parte de las conductas inadecuadas de los niños.

La estructura del libro, por lo demás, sigue las normas de un correcto proceder en su exposición, desde los aspectos generales que enmarquen las directrices de la actuación, a la forma de proceder específica en problemas concretos. En los primeros capítulos, tras delimitar y definir de forma operativa el problema que se aborda, se procede a señalar los procedimientos básicos para explicar y controlar las conductas de los niños. Los capítulos siguientes están dedicados a enseñar de forma precisa y clara cómo debe actuarse en los diferentes momentos. Primero, a la hora de identificar las conductas desadaptadas de los niños y los aspectos relevantes para que estas conductas se mantengan. Después, para completar la información sobre la forma de proceder ya expuesta, se analizan algunos de los problemas más frecuentes en los niños. Numerosos ejemplos sirven de forma constante como punto de referencia para que quede clara la exposición sobre cómo debe procederse. No se olvidan tampoco las autoras de señalar las formas de comportamiento inadecuado a fin de que resulte más fácil a las personas interesadas en el tema corregir esa forma de proceder. Especial mención merece el último capítulo dedicado a aquellos casos en los que todo parece inútil, cuando la utilización de los procedimientos señalados parece no tener resultados. Las indicaciones para superar momentos de desaliento y para rehacer la propia actuación a fin de mejorar los resultados son interesantes y muy prácticos.

En resumen, una obra muy interesante, tanto para profesionales que dedican sus esfuerzos a mejorar el comportamiento de los niños, como para los padres o personas que están en contacto más o menos constante con ellos. Si se buscan indicaciones precisas para actuar con eficacia inmediata, no cabe duda que aquí se encontrarán. La claridad y sencillez de la exposición, junto a los arraigados conocimientos de las autoras y su buen hacer a la hora de transmitirlos, colaboran en convertir esta obra en un libro fundamental para «tratar al niño desobediente» y, en general, para trabajar con niños.

Para concluir, me gustaría destacar la importancia de este tipo de obras, en las que se pone al alcance de un gran número de personas, de forma asequible, amena y práctica, los conocimientos de la Psicología para mejorar su forma de comportarse cotidiana.

Madrid, junio de 1995.

FRANCISCO JAVIER LABRADOR
Catedrático de Técnicas
de Modificación de Conducta.
Universidad Complutense de Madrid

1

La desobediencia: un problema cotidiano

1.1. ¿Qué es desobedecer?

Son muchos los padres que se quejan de que sus hijos no obedecen; es frecuente oír comentarios como los siguientes: «Pedro no obedece jamás a la primera, necesita que se lo diga siete veces y finalmente tengo que enfadarme, si no, no hay manera», «Susana nunca se lava las manos antes de comer a pesar de que se lo tengo dicho», «María protesta todos los días cuando le mando hacer los deberes», etc. La desobediencia y los trastornos de conducta a los que ella va asociada son, sin duda, un problema de alta prevalencia en la infancia, y pueden ser muy perturbadores si no son manejados de forma adecuada, ya que suponen un desafío al control parental y provocan, en muchos casos, la existencia de un clima de interacción padres-hijo coercitivo y conflictivo.

Ahora bien, ¿a qué nos referimos exactamente cuando hablamos de conducta desobediente? Siguiendo a Forehand y McMahon (1981), se podría definir la conducta de desobedecer como *la negativa a iniciar o completar una orden realizada por otra persona en un plazo determinado de tiempo (5, 10, 20 segundos, dependiendo de los autores). Esta orden puede hacerse en el sentido de «hacer» o en el sentido de «no hacer», de detener una determinada actividad*. Por ejemplo, un padre le ordena a su hijo Pedro que se ponga a estudiar. Si éste no se pone a estudiar en un plazo de tiempo inferior al establecido, diremos que Pedro ha desobedecido. O en otro caso, una profesora le pide a su alumna Susana que deje de hablar con su compañero, Susana desobedecerá si no interrumpe su conducta de hablar en los 20 segundos siguientes a la orden.

Sin embargo, es posible que esta definición parezca insuficiente a un gran número de padres y educadores que consideran que sus hijos también desobedecen cuando llegan a casa después de la hora estipulada, o cuando no recogen su habitación por las mañanas tal y como la madre ha establecido que lo tiene que hacer, o cuando se ponen a jugar al fútbol en una zona prohibida, etc. Es decir, muchos de ellos coincidirán al considerar que la conducta de desobedecer también implica *otras situaciones en las que la norma no se dice directamente pero está implícita y presente*. Por ejemplo, si unos padres establecen como norma que hay que lavarse siempre las manos antes de comer, se considera que el niño desobedece si no realiza esta conducta, aun cuando los padres no se lo indiquen cada vez que vaya a comer. O en otro caso, si una madre tiene prohibido jugar al fútbol en el pasillo de casa, aunque la madre no le diga cada día a su hijo: «En casa no se puede jugar al fútbol», la regla ha sido establecida en un determinado momento y sigue presente, por lo que debe de ser respetada aunque no se repita diariamente. Considerando esta segunda definición de desobediencia, conductas como no recoger la habitación, no lavarse los dientes por las noches, llegar tarde a casa, gritar, pegar a otros, decir palabras malsonantes, destruir la propiedad del otro, etc., y casi todas las conductas desviadas de un niño pueden ser vistas como conductas de desobediencia, dado que existen órdenes explícitas que las regulan (Forehand y McMahon, 1981).

A la luz de estas consideraciones y tratando de hacer una definición más precisa de la conducta de desobediencia, diremos que ésta se produce cuando:

1. Un superior (padre, madre, maestro, parientes, etc.) pide u ordena al niño que realice una conducta y éste no responde a su petición, comenzando a hacerla en

un intervalo de tiempo superior al que se ha establecido. Quizá 20 segundos sea un intervalo de tiempo que permite un correcto funcionamiento en la vida cotidiana (Rinn y Markle, 1981); no obstante, cada padre o educador puede establecer el lapso de tiempo que a él le parezca más apropiado dadas las características de su hijo.

2. Un superior pide al niño que interrumpa su conducta actual, o en su caso, que no comience a realizar una conducta que está a punto de ocurrir. El niño no interrumpe la conducta en un lapso inferior al prefijado (20 segundos).
3. El niño no realiza una conducta que se ha establecido por norma que tiene que realizar.
4. El niño lleva a cabo conductas que explícitamente se le han prohibido.

Sin embargo, existen situaciones en las que aunque estos criterios se cumplen, no queda claro que se pueda hablar de desobediencia.

La primera de ellas hace referencia a la existencia de forma simultánea de dos órdenes incompatibles. Por ejemplo, la madre pide al niño que acuda inmediatamente a cenar, mientras el padre le ordena que le ayude a buscar el periódico. Es evidente que el niño podrá realizar tan sólo una de las dos, no pudiéndose hablar de desobediencia hacia la otra orden.

Una segunda posibilidad hace referencia a la petición por parte de una misma persona de varias órdenes de forma simultánea, lo que dificulta la ejecución de las mismas por parte del niño. Por ejemplo, una madre le pide a su hijo Manolo que ponga la mesa y a continuación, y sin dar tiempo a que Manolo haya puesto la mesa, le pide que recoja su cuarto de estudio.

Una tercera situación se refiere a cuando un padre o un educador invita al niño a violar una prohibición, por ejemplo, «a mamá no le gusta que juguemos al fútbol, pero como ahora no está...». ¿Se puede decir que el niño haya desobedecido en este caso?

El análisis de estos ejemplos lleva a concluir que con independencia del comportamiento del niño, existen una serie de condiciones ambientales, por ejemplo la no existencia de órdenes unificadas por parte de los padres, el dar varias órdenes simultáneamente, etc., que dificultan que la conducta obediente se produzca. En este sentido, es necesario recordar que la

Tabla 1.1

Cuadro resumen de los criterios a utilizar para calificar una conducta de desobediente

Conductas de desobediencia	Ejemplos
1. Se le da al niño la orden de que realice una conducta. Éste no comienza a realizarla en un período de tiempo inferior a 20 segundos.	La madre de Mario le pide que se ponga a hacer los deberes. Pasados 20 segundos Mario no se ha puesto a hacer su tarea.
2. Se le pide al niño que interrumpa su conducta actual, o que no comience a realizar una conducta. El niño no interrumpe la conducta en un lapso inferior al prefijado (20 segundos).	¡Juanito!, deja de jugar con el perro. Pasados 20 segundos Juanito sigue jugando con el perro.
3. El niño no realiza una conducta que se ha establecido por norma tiene que realizar.	Charo no hace su cama por las mañanas antes de irse al colegio, a pesar de que su madre lo ha establecido como una norma.
4. El niño lleva a cabo conductas que explícitamente se le han prohibido.	Pepito se pone a ver la tele por las mañanas a pesar de que sus padres se lo han prohibido.

desobediencia es una conducta de interacción entre el niño y las figuras de autoridad, por lo que a la hora de tratar de modificarla, tan importante como el análisis y modificación del comportamiento del niño lo es el de los padres y educadores.

El objetivo de este libro es enseñar a padres y educadores a cambiar su comportamiento para facilitar que la conducta obediente del niño tenga lugar.

1.2. Frecuencia y gravedad de las conductas de desobediencia

Una pregunta que con frecuencia se hacen los padres cuando su hijo presenta este tipo de problemas es hasta qué punto estas conductas son normales en un niño o constituyen algún tipo de patología. A menudo, acuden a la consulta tan sólo para cerciorarse de si es normal o no que un niño se comporte así. Contestar a esta pregunta no es fácil, dado que, como sucede en todos los ámbitos del comportamiento humano, la diferencia entre lo que es normal y anormal es una diferencia cuantitativa más que cualitativa.

Los estudios longitudinales realizados en este campo han puesto de manifiesto que éstas son conductas de gran prevalencia en los primeros años de vida, pero que tienden a desaparecer por sí mismas con la edad. Por ejemplo, Achenbach y Edelbrock (1981) encontraron que a los 5-6 años un porcentaje elevado de padres (50 por 100) se quejaban de conductas como desobedecer órdenes o destruir objetos, mientras que a los 16 años estas quejas sólo aparecían en el 20 por 100 de los casos. Los datos de éste y otros estudios parecen apoyar la idea de que la presencia de este tipo de conductas durante la infancia no es en sí misma patológica.

Por tanto, el punto de corte entre lo normal y lo patológico parece establecerse en función de la frecuencia de estas conductas, la gravedad de las mismas (no es lo mismo hacer caso omiso sin más de una orden dada por uno de los padres, que responder insultando, chillando o agrediendo a uno de ellos), el número de conductas que un niño exhibe, la diversidad de contextos en los que aparecen (en casa, en el colegio, etc.) y su desaparición o no de forma espontánea a lo largo del desarrollo (McMahon y Forehand, 1988).

1.3. Las conductas de desobediencia y el trastorno por oposicionismo desafiante

Respecto al diagnóstico psiquiátrico de estos comportamientos, de acuerdo con la clasificación que propone la Asociación Psiquiátrica Americana en la cuarta edición de su sistema diagnóstico, DSM-IV (APA, 1994), este tipo de conductas se diagnostican bajo el epígrafe de «Trastorno por oposicionismo desafiante». Esta categoría incluye un subgrupo de comportamientos desobedientes, que exceden los límites de la «normalidad», tanto por su excesiva frecuencia como por la mayor gravedad de las conductas exhibidas.

Los rasgos esenciales de este trastorno (véase tabla 1.2) lo constituyen: un patrón de negativismo, hostilidad y conducta desafiante caracterizado por la presencia de comportamientos como encolerizarse, discutir con los adultos, desafiar las reglas de los adultos, hacer deliberadamente cosas que molestan al otro, acusar a los demás de los propios fallos, etc., que dura por lo menos 6 meses. Además, la presencia de estos comportamientos altera de forma significativa el funcionamiento social, académico y ocupacional del sujeto. Los destinatarios fundamentales de esta actitud oposicionista del niño o del joven son sus padres y profesores. El problema suele aparecer antes de los 8 años, y normalmente antes de la adolescencia. Su comienzo suele ser gradual a lo largo de meses e incluso de años.

No hay que olvidar que no todas las conductas desobe-

Tabla 1.2

Criterios diagnósticos para el trastorno de oposicionismo desafiante según el DSM-IV (APA, 1994)

A) Un patrón de negativismo, hostilidad y conducta desafiante que dura por lo menos 6 meses, durante los cuales cuatro o más conductas de las que se especifican a continuación están presentes:

1. A menudo se encoleriza.
2. A menudo discute con los adultos.
3. A menudo desafía activamente o rechaza las peticiones y reglas de los adultos.
4. A menudo hace deliberadamente cosas que molestan a los demás.
5. A menudo acusa o reprocha a los demás de sus propios errores.
6. A menudo es susceptible y se molesta fácilmente con los demás.
7. A menudo se muestra colérico y resentido.
8. A menudo es rencoroso o reivindicativo.

Nota: Se considera que un determinado criterio se da sólo si la conducta ocurre de forma más frecuente de lo que típicamente se observa en sujetos de su misma edad y nivel de desarrollo.

B) La alteración de la conducta causa un perjuicio clínicamente significativo en el funcionamiento social, académico y ocupacional del sujeto.

C) Estas conductas no ocurren de forma exclusiva durante el curso de un trastorno psicótico o un trastorno del estado de ánimo.

D) No cumple los criterios para diagnosticar un trastorno de conducta y si el individuo tiene más de 18 años no cumple los criterios de personalidad antisocial.

dientes son oposicionistas, y en este sentido el DSM-IV advierte que este diagnóstico no debe aplicarse cuando el chico exhibe estas conductas con una frecuencia similar a la de los chicos de su misma edad y nivel de desarrollo.

Algunos autores (Loeber, 1990; Patterson, 1986) consideran que cuando los comportamientos desobedientes son extremadamente frecuentes y no desaparecen con la edad pueden acabar dando paso a problemas más serios de conducta (conducta oposicionista, trastorno de conducta, conducta antisocial, etc.).

De otro lado, es preciso diferenciar *el trastorno por oposicionismo desafiante* del *trastorno de conducta,* dado que aunque ambas categorías diagnósticas incluyen comportamientos como rabietas, violación de reglas, negativismo, etc., el *trastorno de conducta* implica una mayor gravedad en cuanto que supone una violación de los derechos básicos de otros, así como la ruptura de normas sociales. Aunque los niños que presentan un *trastorno por oposicionismo desafiante* pueden ser desobedientes y discutidores, por lo general su conducta no incluye mentiras, novillos, robo, agresión o vandalismo persistentes (Gross, 1993).

En relación a cuántos niños y adolescentes padecen *trastorno por oposicionismo desafiante,* los estudios realizados hablan de cifras que oscilan entre el 2 y el 16 por 100 (APA, 1994). Respecto a la distribución por sexos, antes de la adolescencia, el trastorno es más frecuente en niños que en niñas, aunque después de la adolescencia no existen diferencias entre ambos sexos.

Con frecuencia, estos niños presentan otros problemas asociados, entre los que destaca la hiperactividad y los problemas de aprendizaje (Doke y Flippo, 1986).

Resumen

La desobediencia es un problema al que cotidianamente han de enfrentarse padres y profesores. Evidentemente, todos saben qué es desobedecer; sin embargo, a veces resulta difícil ponerse de acuerdo sobre qué constituye exactamente una conducta de desobediencia, y esto es sin duda el primer paso necesario para después tratar de modificarla. En este capítulo se delimita de forma precisa el concepto de conducta desobediente.

Por otra parte, se sabe que desobedecer es algo que los niños hacen con frecuencia. Sin embargo, ¿cuándo debe considerarse esta conducta como algo patológico? Aunque la contestación no es sencilla, la diferenciación debe hacerse en términos de frecuencia, gravedad de los comportamientos exhibidos y grado de interferencia en el funcionamiento familiar, social y académico del niño.

2

¿Por qué mi hijo es desobediente?

Con mucha frecuencia, ante las conductas de desobediencia de sus hijos los padres comentan y se preguntan: «¿Por qué habrá salido tan desobediente?» «¿A quién se parecerá?» «Su hermano ha sido siempre un santo y éste, sin embargo, resulta imposible». Bajo estas afirmaciones parece vislumbrarse la idea de que el ser desobediente, o el portarse de forma inadecuada, es algo con lo que uno nace y con frecuencia se recurre a la herencia («es igual que su abuelo paterno») o al destino («nos ha tocado así y que le vamos a hacer»), para explicar este tipo de conductas. Sin embargo, nada más lejos de la realidad. Porque aunque ciertamente los factores de tipo genético y biológico pueden dar cuenta de ciertas diferencias en las conductas exhibidas por los bebés en los primeros meses de vida (por ejemplo, nivel de actividad, patrones de sueño y alimentación, umbral de reacción ante estímulos nuevos, intensidad de la reacción, etc.), diferencias que pueden dar lugar a que las conductas de unos sean más fácilmente manejables que las de otros, sin embargo, en ambas situaciones, parece esencial el hecho de que el niño a lo largo de todo su desarrollo *aprende a comportarse*. Esto es, en algunos casos aprende a obedecer y a comportarse de forma adecuada, y en otros aprende a desobedecer y comportarse de forma inadecuada.

2.1. ¿Cómo aprendemos a comportarnos?

El primer aspecto fundamental de cara a entender cuáles son los principios que subyacen al aprendizaje del comportamiento humano es tener en cuenta que las conductas que exhiben tanto los adultos como los niños (lo que piensan, lo que sienten, lo que hacen, etc.) dependen de las consecuencias que esas conductas producen tanto para uno mismo como para los demás. De forma que aquellos comportamientos que provocan consecuencias positivas tienden a repetirse en un futuro (por ejemplo, si la madre de Pablo le premia cada vez que acaba a tiempo sus deberes, es esperable que Pablo trate de terminarlos pronto), mientras que aquellas conductas que producen consecuencias negativas tienden a hacerse menos probables (por ejemplo, si cuando María ayuda a su madre a poner la mesa ésta le regaña por no colocar los cubiertos en su sitio, es probable que, al cabo de varios días, María decida que es mejor no ayudar a su madre a poner la mesa).

2.1.1. Las consecuencias positivas: los reforzadores

Las consecuencias positivas que siguen a una conducta reciben el nombre de *reforzadores,* dado que ayudan a reforzar y fortalecer la conducta. Existen dos formas básicas de reforzar una conducta:

1. La conducta va seguida de un premio o una recompensa, ya sea material (un juguete, un dulce) o social (una palabra de elogio, una sonrisa, la atención de los adultos, etc.). En este caso, la consecuencia positiva que sigue a la conducta recibe el nombre de *reforzador positivo,* y hará que el comportamiento sea mas probable en el futuro. Si cuando Juan come solo, ordena su cuarto o hace los deberes sus padres le premian por ello, es esperable que Juan repita dichas conductas con frecuencia y aprenda a realizarlas de forma sistemática.
2. Otro modo de reforzar una conducta es que dicho comportamiento ponga fin a una situación desagrada-

> ble. Por ejemplo, cuando María tiene que comer pescado (alimento que no le gusta) comienza a hacer arcadas o a decir que le duele el estómago, como consecuencia de ello su madre le retira el pescado. Parece lógico esperar que la conducta de hacer arcadas o de quejarse de dolor de estómago se repita cada vez que María ha de comer una alimento que no le agrada, ya que ha sido reforzada por la desaparición de un acontecimiento aversivo para ella. En este caso la conducta de quejarse produce alivio en cuanto que pone fin a una situación aversiva, y el alivio es también un potente reforzador. Cuando la consecuencia positiva de una conducta es la desaparición de una situación aversiva que estaba previamente presente hablamos de *reforzador negativo*.

No hay que olvidar que tanto el refuerzo positivo como el refuerzo negativo constituyen consecuencias positivas de una conducta y, por tanto, ambos fortalecen dicho comportamiento y hacen que éste sea más probable en el futuro.

De lo dicho anteriormente se deduce que para que un niño o un adulto aprendan una conducta es necesario que esa conducta sea reforzada. Si una conducta no va seguida de consecuencias agradables, de un reforzador, es de esperar que si todavía no se ha aprendido sea difícil que se aprenda, y si ya se ha aprendido, que se debilite poco a poco y se haga cada vez menos frecuente. Es decir, dicha conducta se acabará *extinguiendo*. Por ejemplo, si María llama todas las semanas a su amiga Beatriz para salir con ella al cine y Beatriz nunca quiere quedar con María, es esperable que al cabo de un tiempo la conducta de María, que no está siendo reforzada, se extinga y deje de llamar a Beatriz.

Es imprescindible a la hora de educar a los hijos, tener presente la importancia del reforzamiento en la conducta. Uno de los errores más frecuentes entre padres y educadores es considerar que un niño tiene que portarse bien porque es su deber y que, por tanto, no tenemos por qué reforzar dichos comportamientos. Esto constituye un serio error. *No hay que olvidar que, si se refuerza, la conducta se mantendrá, si no se refuerza, la conducta se extinguirá.* Pensemos en un ejemplo cercano a nosotros mismos, una madre que hace la comida para su familia, se sentirá mejor, más motivada a cambiar el menú y hará la comida con más ilusión si se la refuerza diciéndole lo buena que está, que si nadie le dice nada cuando la comida llega a la mesa.

Son muchos los tipos de reforzadores positivos que podemos utilizar: 1) *Los reforzadores materiales o tangibles* (dulces, juguetes, dinero, etc.). 2) *Los reforzadores de actividad*; una actividad que sea agradable para el sujeto puede funcionar también como un potente reforzador (ver la tele, jugar con los amigos, hacer deporte, dibujar, etc.). 3) *Los reforzadores sociales* son aquellas conductas que otros individuos realizan dentro de un determinado contexto social. Son reforzadores sociales la atención, la sonrisa, el abrazo, las palabras de elogio, etc. 4) *Los reforzadores cambiables: las fichas o los puntos;* en ocasiones se pueden utilizar como reforzadores fichas o puntos que posteriormente se canjearán por reforzadores materiales o de actividad. El valor reforzante de estas fichas está directamente relacionado con el valor del objeto por el que será canjeado. Presentan la ventaja de que pueden suministrarse de inmediato a continuación de la conducta meta, lo que en ocasiones no ocurre con los reforzadores tangibles o de actividad. Las fichas son muy utilizadas de manera informal por padres y profesores; por ejemplo, cuando el maestro da puntos que subirán las calificaciones finales, o cuando un padre da fichas o anota marcas en un papel, que se convertirán más tarde en dinero o privilegios especiales.

La pregunta que se puede plantear ahora es: ¿Qué tipo de reforzadores conviene utilizar? Esto depende de las circunstancias, del tipo de conducta, etc. Sin embargo, existen algunas consideraciones generales que es preciso tener en cuenta.

Los reforzadores materiales y los reforzadores de actividad suelen ser más potentes, es decir, tienen más capacidad de refuerzo que los reforzadores sociales, por lo que resulta aconsejable utilizarlos en los primeros momentos del aprendizaje de una conducta. Sin embargo, presentan algunos problemas. El primero, que producen fácilmente saciación. Por ejemplo, si a un niño se le refuerza comprándole todos los días una bolsa de patatas es posible que el niño acabe cansándose de patatas, por esto, se aconseja administrar más de un tipo de refuerzo con el fin de que no se produzca este efecto. En segundo lugar, algunos padres y profesores se muestran reacios a «pagar» a los niños para que se comporten adecuadamente a pesar de que ellos en realidad trabajan también por refuerzos tangibles como salario, coches, joyas, etc. Por último, no siempre es posible reforzar con este tipo de estímulos dado que a veces no están disponibles, por ejemplo, ir a ver un partido de fútbol.

Siempre que se utiliza un reforzador material o de actividad debe acompañarse de un reforzador social, con el fin de que con el paso del tiempo se pueda ir retirando el refuerzo tangible y sea el reforzador social el que mantenga la conducta. Por ejemplo, cada vez que Ana recoge su habitación su mamá la premia con un bollo de chocolate, y mientras se lo da le dice: «Muy bien, estoy muy contenta por tu comportamiento». Es de esperar que al cabo de un tiempo, el reforzador social «estoy muy contenta» sea suficiente para que la conducta de recoger la habitación no se extinga.

Parte de los problemas que surgen con la utilización de los reforzadores materiales y de actividad se obvian con el uso de fichas o puntos, dado que éstos se pueden administrar con mayor facilidad inmediatamente a que la conducta haya tenido lugar y, además, es más difícil que se sacien, ya que pueden ser canjeados por una mayor variedad de estímulos, por lo que tienen mayores posibilidades de ser reforzadores poderosos en todas las ocasiones. La entrega de una ficha o de un punto, también debe ir acompañada de un reforzador social, para que, finalmente, puedan ser estos reforzadores sociales los que mantengan la conducta.

Es conveniente, cuando se aplican puntos o fichas, ir cambiando el valor de las mismas a medida que avanza el aprendizaje de la conducta. Al principio las fichas deben valer mucho para que con pocas fichas el sujeto pueda obtener mucho refuerzo; a medida que el programa avanza, las fichas deben valer menos, para que el niño tenga que conseguir más fichas para obtener el reforzador.

2.1.2. El uso eficaz de los reforzadores

A la hora de aplicar los reforzadores y con el objeto de maximizar su eficacia es preciso tener en cuenta algunos principios fundamentales:

1. Una recompensa o refuerzo es más eficaz cuando se administra inmediatamente después de la conducta que queremos reforzar. En ocasiones, dejamos pasar mucho tiempo entre la conducta y la administración del reforzador (si estudias te compraré una bicicleta cuando acabe el curso), y en este caso el reforzador resulta ineficaz porque al niño le cuesta trabajo asociarle a la realización de la conducta que se le pide. Por tanto, y especialmente cuando se trata de niños pequeños, las promesas y refuerzos a largo plazo son poco eficaces para estimular el aprendizaje.
2. En las primeras fases del aprendizaje el reforzador debe aplicarse de forma continua, es decir, cada vez que el niño manifiesta la conducta que queremos implantar.

3. En los primeros momentos es importante que al niño le sea fácil obtener el reforzador con el fin de que se implique más en la realización de la conducta. Por tanto, es preciso que consiga mucho refuerzo con muy poca conducta. Si Javier ha traído siete suspensos y queremos que mejore sus calificaciones, y para ello le prometemos que si aprueba todo este trimestre obtendrá un regalo, es posible que Javier ni siquiera se moleste en estudiar porque piense que es una misión imposible. Por el contrario, si reforzamos cualquier mejoría por pequeña que sea respecto a las calificaciones anteriores es más probable que Javier se sienta motivado e interesado por la tarea.
4. Una gran parte de los comportamientos que queremos enseñar a nuestros hijos y alumnos son conductas complejas, es decir, se componen de pasos diferentes (por ejemplo, lavarse los dientes, vestirse solo, aprender a leer, etc.). En estos casos y para que se aprenda mejor no conviene esperar a que la conducta se dé en su totalidad, sino que es mejor reforzar cada uno de los pasos de que se compone.
5. Una vez que la conducta está aprendida y se da con cierta frecuencia, conviene dejar de reforzarla de forma continua y pasar a reforzarla de forma intermitente. Es decir, no todas las veces que se da la conducta, tan sólo cada equis veces o cada cierto tiempo. De esta forma la conducta se consolida mejor, porque el sujeto no sabe cuando va a aparecer el reforzador y, por tanto, sigue emitiendo la conducta con la esperanza de que éste aparezca. En ese sentido es importante recordar que, una vez que la conducta se ha aprendido, reforzarla sólo de cuando en cuando hace que esta conducta se mantenga durante mucho tiempo.
6. Todos, tanto los niños como los adultos, necesitamos el refuerzo y la aprobación de los otros. Si un niño no

recibe refuerzo o éste es insuficiente manifestará alteraciones y deficiencias en su conducta, desarrollo y adaptación al medio.

2.1.3. Las consecuencias negativas: los castigos

Las consecuencias negativas que siguen a una conducta reciben el nombre general de *castigos*. Existen dos formas de castigar una conducta:

1. Haciendo que la conducta vaya seguida de un estímulo o situación aversiva (por ejemplo, un insulto, un azote, una bofetada, una burla, etc.). Esta forma recibe el nombre de *castigo positivo* y su administración tiene como consecuencia la reducción rápida e inmediata de la conducta problema. Por ejemplo, si cuando Juan Antonio insulta a su padre éste le da un cachete en la boca, es de esperar que la conducta de Juan Antonio no vuelva a repetirse en el futuro.
2. Haciendo que la conducta vaya seguida de la retirada de una recompensa que el niño había conseguido previamente. Por ejemplo, cada vez que Manolo pega a su hermana su madre le castiga sin ver la tele o sin bajar al recreo, o le quita 10 pesetas de su paga del domingo. Esta forma de castigar las conductas recibe el nombre de *castigo negativo o costo de respuesta*, dado que realizar la conducta le cuesta al sujeto perder algo, y se identifica con el concepto que los padres suelen tener de un castigo.

La utilización del castigo, ya sea en forma de *castigo positivo* (aparición de un estímulo aversivo) o de *castigo negativo* (desaparición de un estímulo positivo), tiene como consecuencia la disminución rápida e inmediata de la frecuencia de la conducta, y, si éste persiste, la desaparición total de ésta.

Tal y como se explicará más detenidamente en una sección posterior, para que el castigo sea eficaz debe ser intenso, de corta duración y aplicarse de forma inmediata a la conducta que queremos eliminar.

2.1.4. La no existencia de consecuencias: la extinción

Tal y como hemos estado viendo hasta aquí, es esperable que si una conducta tiene consecuencias positivas, es decir, es reforzada, se haga más probable en el futuro. Si una conducta tiene consecuencias negativas, es decir, es castigada, tienda a no repetirse. Ahora bien, ¿qué sucede cuando una conducta no provoca consecuencias, es decir, cuando no tiene ningún efecto?

Por ejemplo, Fernando, un niño de 5 años, lloriquea y se queja a su madre de que un niño le ha pegado. Es esperable que si la madre de Fernando le atiende, le mima, le presta atención, Fernando manifieste esta conducta con frecuencia. Ahora bien, ¿qué sucederá si la madre de Fernando no responde de ninguna manera, si hace como si no ha oído, o simplemente se marcha de la habitación sin responder?

Para contestar a esta pregunta es necesario saber si la conducta de Fernando es una conducta nueva que ha aparecido por primera vez o, por el contrario, es una conducta que ya tiene en su repertorio y que ha sido reforzada con anterioridad.

En el caso de que sea la primera vez que Fernando exhibe la conducta de quejarse, si cada vez que esta conducta aparece de nuevo, su madre hace como si no oyese y no muestra ningún interés ni atención por ella, es de esperar que Fernando no consiga aprender dicha conducta, ya que desde el principio de su emisión no esta siendo reforzada. La madre de Fernando está omitiendo atención, omitiendo reforzamiento a dicha conducta y, por tanto, es esperable que ésta no llegue a consolidarse y no se aprenda.

Si, por el contrario, Fernando ya había mostrado este comportamiento con anterioridad, y la mayor parte de las veces conseguía refuerzo por ello (su madre le mimaba, se preocupaba por él, le preguntaba cómo había sido, etc.), es de esperar que si de repente su madre decide no atenderle, la conducta de Fernando no desaparezca sin más, sino más bien todo lo contrario. Al principio, la conducta de Fernando tenderá a agravarse, y posiblemente al ver que su madre no le atiende se quejará una y otra vez y cambiará su forma de comportarse (llorará, gemirá, etc,) e incluso es posible que aparezcan algunos comportamientos agresivos (dar patadas, golpear cosas, etc.) Una vez producido este empeoramiento de la conducta, si su madre persiste en no reforzarle, entonces sí es de esperar que la conducta de quejarse de Fernando vaya disminuyendo de forma paulatina al darse cuenta de que no va a prestarle atención por ella.

Es decir, si una conducta ha sido sometida a un programa previo de reforzamiento y en un momento dado se comienza un proceso de *extinción* (se deja de reforzar dicha conducta), hay que esperar, en los momentos inmediatamente posteriores a la instauración del programa de extinción, un aumento de la frecuencia de la conducta, un agravamiento de la misma, la aparición de ciertas conductas agresivas y, posteriormente, una disminución gradual de la tasa de emisión de dicha conducta.

Es importante para los padres y educadores conocer estos primeros efectos indeseables de la extinción, con el fin de persistir en su comportamiento a pesar del aparente empeoramiento de la conducta, ya que si ante el incremento de la conducta indeseable desisten o abandonan, no sólo no ayudan a la eliminación de dicha conducta, sino que enseñan al niño que para ser reforzado ha de manifestar conductas cada vez más inadecuadas. Veamos un ejemplo: supongamos que Rosa le pide a su madre que le compre un juguete; la madre de Rosa ha decidido no prestar atención a estas peticiones frecuentes e inadecuadas de Rosa, y no contesta. Rosa sigue pidiendo que le compre el juguete y su madre sigue sin contestar, Rosa agrava su conducta y empieza a chillar y a patalear pidiendo su juguete, finalmente la madre de Rosa abochornada le acaba comprando el juguete.

¿Qué es lo que Rosa aprenderá de dicha secuencia? En lugar de aprender que no debe pedir constantemente que le compren juguetes, que es lo que la madre le quería enseñar, Rosa aprende que cuando pide algo de forma «normal» no consigue su objetivo, pero que cuando grita, chilla o patalea sí. La madre de Rosa, al no insistir en su programa de extinción e interrumpirlo ante el agravamiento de la conducta, enseña a ésta a mostrar conductas cada vez más inadecuadas en lugar de conductas adecuadas.

2.1.5. Cuando las consecuencias de una conducta son contradictorias

En ocasiones, la misma conducta tiene consecuencias diferentes e incluso contradictorias. Esto puede ocurrir por varios motivos. En unos casos, las consecuencias pueden cambiar en función de la situación: por ejemplo, la conducta de jugar al fútbol es reforzada si ocurre en el patio del colegio, pero, por el contrario, es castigada si se produce en clase o en el salón de la casa. Estos casos, por otro lado, lógicos y muy frecuentes, no son problemáticos porque los niños acaban discriminando cuándo y en qué lugar deben realizar una conducta y cuándo y en qué lugar no.

Sin embargo, en otras ocasiones al niño no le resulta tan fácil diferenciar por qué, en circunstancias aparentemente similares, la misma conducta es unas veces reforzada, otras veces castigada y otras veces ignorada. Por ejemplo, ante la conducta de Diego de trepar por el sillón del sofá, en ocasiones sus padres se ríen y comentan lo travieso que es, mientras que en otros momentos responden con un grito, un azote o aislándole en su habitación. Otras veces, el castigo y el refuerzo se suceden en una misma secuencia conductual. A menudo, los padres dan un cachete al niño por haber realizado alguna conducta indeseable y a continuación, dado que sienten cierto remordimiento, se acercan a él y le explican «eso no se hace, ya sabes que mamá te pega por tu bien», le miman e incluso le abrazan o le besan. Como puede verse, en esta secuencia la misma conducta está siendo primero castigada y después reforzada con atención, caricias, etc.

Es también frecuente que exista desacuerdo entre el padre y la madre en el modo de reaccionar ante la conducta del niño, de forma que uno refuerza la conducta mientras el otro la castiga, o uno de ellos no apoya lo que el otro ha dicho o hecho.

En estas condiciones el niño no puede aprender a comportarse. No puede predecir cuáles son las consecuencias que va a tener su comportamiento, lo que favorece que manifieste la conducta indeseable, dado que no está claro cuáles son las consecuencias que ésta va a tener. Todo ello impedirá que internalice las pautas de comportamiento que los padres pretenden enseñarle y que aprenda qué se puede y qué no se puede hacer. Esta situación genera además desconcierto e inseguridad. En otros casos, el niño aprende a sacar ventajas del desacuerdo e inconsistencia de sus padres, lo que refuerza sus conductas desobedientes.

Por tanto, no se debe olvidar que para que un niño aprenda es necesario que una misma conducta tenga siempre el mismo tipo de consecuencias, dado que esto le permitirá distinguir qué es lo que está bien y qué es lo que está mal. De la misma manera, debemos estar atentos a reforzar la conducta apropiada pero no la contraria.

2.1.6. La conducta y sus antecedentes

Un hecho que a menudo confunde a los padres y maestros es por qué con frecuencia los niños manifiestan algunas conductas (rabietas, miedos, desobediencia, problemas con las comidas, agresiones, etc.) sólo en determinadas circunstancias y situaciones y no en otras (una hora concreta del día, en casa de sus padres, en el colegio, en casa de sus abuelos, durante las vacaciones de verano, etc.), en presencia de determinadas personas y no en presencia de otras (padre, madre, maestro, compañeros, etc.), ante unos estímulos concretos y no ante otros (una determinada comida, una determinada orden, un objeto, etc.).

Para entender el porqué de este hecho es preciso tener en cuenta que si una circunstancia, persona o estímulo están presentes cuando el niño emite una conducta que va seguida de una consecuencia agradable, la persona, la situación o el estímulo en cuestión se convertirán en estímulos anunciadores del futuro reforzamiento, y, por tanto, la conducta en cuestión ocurrirá con mayor probabilidad en presencia de esas situaciones o personas que en cualquier otra. Por ejemplo, si la rabieta de Carlos va seguida de un reforzador positivo (conseguir lo que quiere) en su casa y ante su madre, pero no en el colegio y ante el maestro, es probable que en el futuro Carlos tenga rabietas en casa y ante su madre, pero no en el colegio. Si la conducta de llorar a la hora de irse a dormir es reforzada por la madre de José María, pero no por el padre, es esperable que José María exhiba dicha conducta cuando está su madre y no cuando está su padre.

Las órdenes que damos a nuestros hijos son también antecedentes de su conducta. Parece evidente que la desobediencia del niño depende no sólo de las consecuencias que sobrevienen cuando se cumple o no se cumple una petición, sino también de la manera en que se hacen esas peticiones. Forehand y McMahond (1981) inciden en la necesidad de dar las órdenes de manera clara y precisa, no recurriendo a sugerencias o interrogaciones retóricas para que el niño haga algo, dado que este tipo de mandatos ofrecen al niño la posibilidad de no ejecutar la orden y, por tanto, dejan una alternativa a la desobediencia. Por ejemplo, si la madre de Raquel quiere que ésta le ayude a poner la mesa, será más fácil que Raquel obedezca si su madre le dice: «Raquel, ayuda a mamá a poner la mesa», que si le dice: «¿Por qué no ayudas a mamá a poner la mesa? En el primer caso la orden está enunciada de forma clara y no queda lugar a la duda, en el segundo caso más que una orden parece una sugerencia, y la propia forma de enunciarla abre la posibilidad de que la niña se niegue a realizarla.

2.2. Factores implicados en el mantenimiento de la conducta desobediente

2.2.1. Factores de aprendizaje

Tal y como se ha señalado anteriormente, para comprender el porqué de la conducta de nuestros hijos debemos preguntarnos: ¿En qué situaciones y momentos se da?, ¿que sucede después?, ¿cómo respondemos?, ¿qué decimos?, etc. Al igual que las conductas adecuadas, el aprendizaje de las conductas de desobediencia y de las conductas inadecuadas depende de sus consecuencias.

McMahon (1991) indica que todos los trabajos en los que se aborda el tema de los problemas de conducta resaltan la primacía de los procesos familiares de socialización. Los estudios en los que se evalúa el funcionamiento familiar de los niños sin problemas de conducta y de los niños con problemas de desobediencia, indican que los padres de los niños desobedientes son generalmente menos asertivos, más laxos y menos consistentes en sus órdenes que los padres de los otros niños. Sin embargo, se observa también que los padres de los niños que desobedecen muestran más dosis de conducta agresiva (Dishion, 1990; Patterson, 1982; Patterson, De Baryshe y Ramsey 1989; Whaler y Dumas, 1987). En este sentido resulta interesante el modelo explicativo de Patterson (1982, 1986) que destaca los efectos negativos que las conductas aversivas y agresivas, tanto de padres como de hijos, tienen sobre la interacción familiar.

Patterson (1982, 1986) enfatiza el carácter coercitivo y de control de las conductas desviadas o inadecuadas y propone lo que denomina «hipótesis de coerción» para dar cuenta del desarrollo y mantenimiento de estos comportamientos.

Este autor parte del hecho de que algunas conductas que posteriormente denominaremos disruptivas, tales como llorar, gritar, patalear, son conductas instintivas en el recién nacido. En estas primeras fases del desarrollo, estos comportamientos son altamente adaptativos y cumplen una función de supervivencia, ya que permiten que el bebé controle la conducta de la madre de cara a poder satisfacer sus funciones vitales básicas. Por ejemplo, cuando el bebé tiene frío llora, y la madre acude. A medida que el niño va creciendo, va sustituyendo estas conductas rudimentarias por habilidades de comunicación más evolucionadas (expresar verbalmente la queja o petición, etc.). Sin embargo, en determinadas circunstancias, los padres pueden favorecer que el niño siga empleando esas conductas rudimentarias como forma de controlar el comportamiento de la madre, en lugar de conductas más adecuadas. Por ejemplo, si los padres en vez de reforzar las conductas adecuadas del niño, respondiendo positivamente a las peticiones del mismo, las ignoran y continúan respondiendo a las conductas coercitivas de control (llorar, gritar, etc.), favorecen que éstas se mantengan y perpetúen.

En este último punto, Patterson (1982) enfatiza el papel del *refuerzo negativo* en la escalada y mantenimiento de las conductas coercitivas e inadecuadas no sólo por parte de los niños, sino también por parte de los padres.

Según el esquema que propone, la conducta coercitiva de un miembro de la familia (padres o hijos) es reforzada cuando tiene como consecuencia la desaparición de un estímulo aversivo que ha sido aplicado por otro miembro de la familia.

En la figura 2.1 se ilustra un ejemplo de cómo el niño es negativamente reforzado por mostrar conductas inadecuadas y de desobediencia. Tal y como puede verse aquí, ante una situación aversiva (petición de la madre) las conductas coercitivas del niño (chillar, llorar, desobedecer, etc.) son negativamente reforzadas dado que la madre retira el estímulo aversivo (petición). Veamos un ejemplo: una madre le pide a su hijo Ramón (que está tranquilamente viendo la televisión) que baje al supermercado a comprar algo que se le ha olvidado. Ramón, a quién no le apetece bajar al supermercado, protesta, se encoleriza, etc.; la madre (por no oírle) le

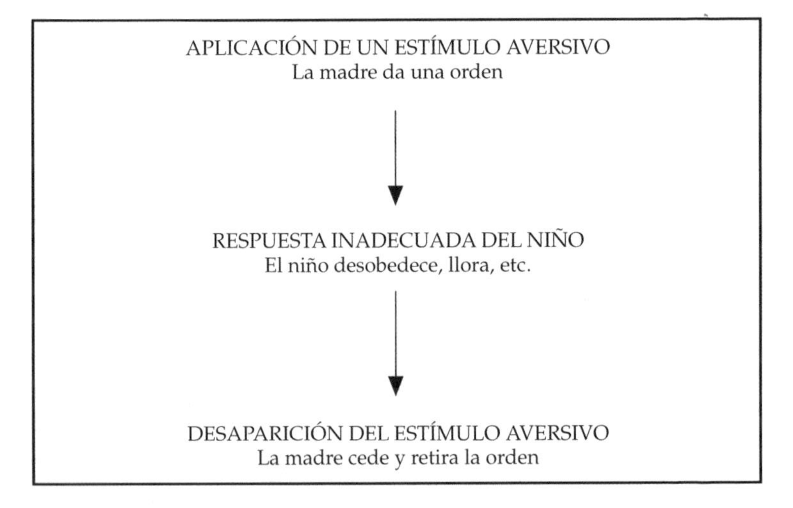

Figura 2.1.—Secuencia que ejemplifica cómo las conductas inadecuadas y coercitivas del niño son reforzadas negativamente (Patterson, 1982).

dice: «Déjalo, ya bajaré yo». Es evidente que la madre con su conducta está reforzando la conducta de protestar y encolerizarse de Ramón, que ha servido para hacer desaparecer un estímulo aversivo (la orden de la madre).

Sin embargo, en muchos casos la secuencia no se queda aquí, sino que la madre responde de nuevo y se genera una escalada en estas conductas de coerción en la que se ven implicados tanto padres como hijos. La figura 2.2 ilustra esto.

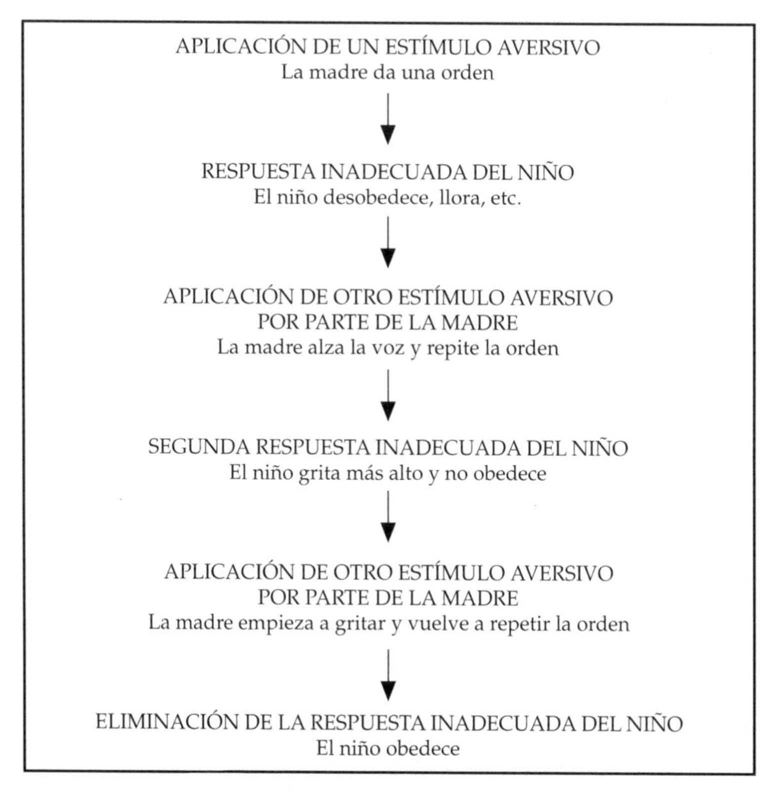

Figura 2.2.—Secuencia que ejemplifica la escalada de conductas coercitivas en la interacción padres-hijos (Patterson, 1982).

En este caso, ante la desobediencia del niño, la madre responde con una conducta también coercitiva (alzar la voz y repetir la orden), a la que el niño responde desobedeciendo de nuevo, lo que provoca una escalada en la conducta de coerción de la madre (chilla más); como consecuencia de esto el niño obedece. Aquí se observa cómo la conducta coercitiva y agresiva de la madre está siendo reforzada también de forma negativa porque a través de ella pone fin a una estimulación aversiva (la desobediencia de su hijo).

Como queda patente en los ejemplos anteriores, el refuerzo negativo puede actuar incrementando la probabilidad de la ocurrencia de técnicas de control agresivas, tanto por parte de los niños como de los padres, lo que facilita un ambiente familiar tenso y agresivo; además, se favorece la imitación por parte de los niños de este tipo de comportamiento paterno.

Por otra parte, es obvio que las conductas de desobediencia e inadecuadas no sólo se mantienen por refuerzo negativo, y muchos autores (por ejemplo, Whaler, 1976; Whaler y Dumas, 1986) han enfatizado el papel que juega el *refuerzo positivo* en su mantenimiento. Los padres aplican refuerzo positivo, tal como atención verbal o física, hacia las conductas de desobediencia y, por el contrario, a menudo ignoran los comportamientos adecuados.

Ciertamente, con frecuencia, se dedica más atención a las conductas inadecuadas de un hijo que a sus conductas adecuadas. Y esto porque en muchas ocasiones se parte, como ya se ha señalado antes, de que la obligación del niño es obedecer o comportarse de forma correcta y que, por tanto, no tiene por qué ser premiado o halagado por ello. De esta forma, un niño puede realizar una gran cantidad de conductas adaptativas a lo largo del día, pero a cambio de ellas no recibir ningún refuerzo (el padre no le dice nada, no le presta atención, etc.). Por el contrario, dado que un padre no debe consentir que su hijo sea desobediente o se porte de forma incorrecta, en cuanto que aparece una de estas conductas rápidamente se advierte o se regaña al niño. Con esta advertencia el padre hace dos cosas: por una parte, le indica que se está dando cuenta de lo que está haciendo, cosa que no ocurría cuando el niño se comportaba correctamente, y, por otra, está prestando atención, y la atención, aunque sea en forma de regañina, sigue actuando como un potente reforzador. Como resultado de todo ello, estas conductas ocurren más a menudo que las adecuadas, dado que las atendemos y reforzamos más.

2.2.2. Otras variables implicadas

Además de estos procesos de aprendizaje a los que nos hemos referido, es necesario hacer notar que existen otras variables que influyen en el comportamiento de los niños (Dumas, 1992; McMahon y Forehand, 1988). Entre estos factores se destacan:

1. *Características propias de los padres:* habilidades paternas de comunicación, de control, de solución de problemas, de manejo de la tensión, etc. (Dishion, 1990; Patterson y Bank, 1986; Whaler y Dumas, 1987).
2. *Características de los hijos:* presencia de mayor o menor actividad, patrones de sueño y comida regulares o no, mayor o menor reactividad ante los estímulos, déficits en habilidades sociales, en solución de problemas, sesgos cognitivos (interpretación hostil de las situaciones...), etc. (Dumas, 1992; Kazdin, 1993; Patterson, 1982).
3. *De la interacción:* problemas conyugales, familiares, etcétera (Reid y Crisafulli, 1990).
4. *Externos a la familia:* situación laboral, grado de ajuste social de los padres, etc. (Dumas y Whaler, 1985; Whaler y Dumas, 1987).

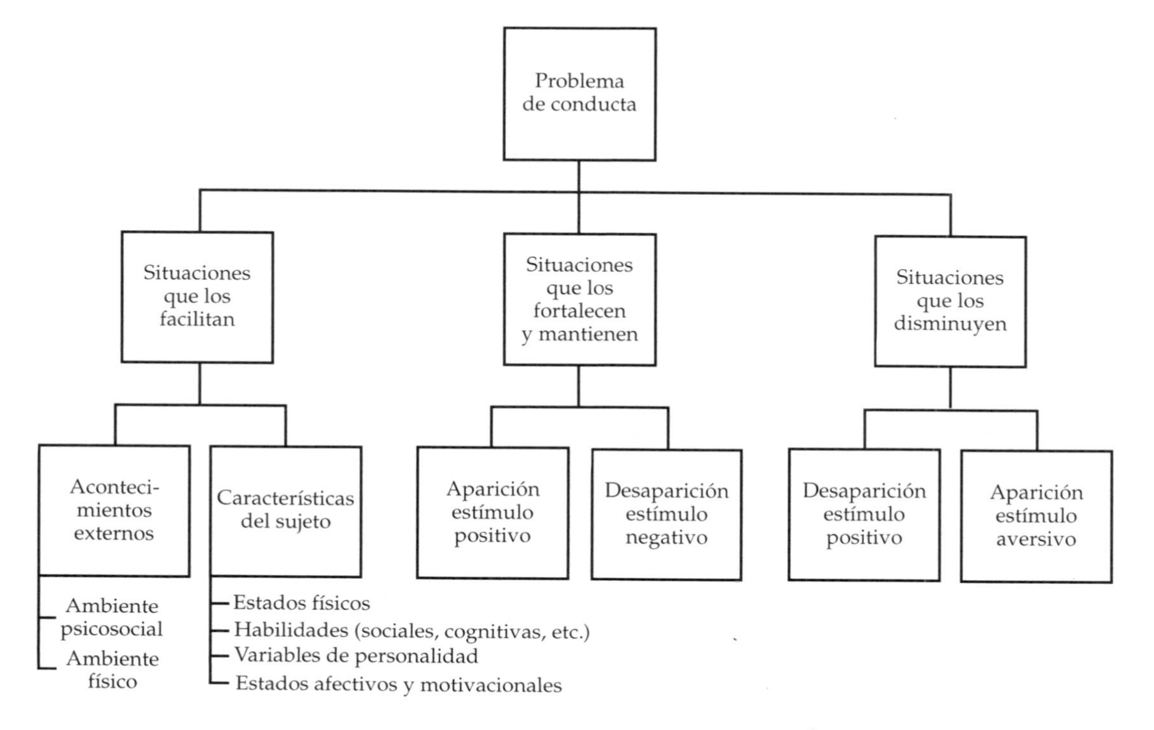

Figura 2.3.—Factores implicados en los problemas de conducta (Gardner y Cole, 1987).

Es por tanto necesario enfatizar que los problemas de conducta que presentan los niños son el resultado de una compleja interacción de factores que es preciso tener en cuenta a la hora de evaluar y tratar. En la figura 2.3 se presenta el esquema propuesto por Gardner y Cole (1987) para ejemplificar esta interacción.

Resumen

Los niños aprenden a comportarse. Tanto las conductas adecuadas como las inadecuadas dependen de sus consecuencias. Si una conducta es reforzada, es esperable que dicha conducta se mantenga en el futuro, si una conducta no es reforzada o por el contrario es castigada, es esperable que dicho comportamiento desaparezca del repertorio conductual del niño. Los modelos desarrollados para explicar los comportamientos desobedientes ponen de manifiesto cómo éstos se mantienen porque son reforzados en la interacción padres-hijos tanto positiva como negativamente.

Finalmente, se revisan una serie de variables, tanto del niño como de los padres, que parecen estar implicadas en la aparición de estos problemas de conducta.

3

Algunos procedimientos para lograr el cambio de conducta

La primera regla a tener en cuenta a la hora de intervenir ante la presencia de un problema de conducta es adoptar una actitud serena y tranquila, pensar en las diversas alternativas posibles y ponerlas en marcha de forma firme y segura. El indignarse, enfadarse, perder los nervios, etc., no sólo no ayuda, sino que sirve para agravar el problema e impide poder pensar en una solución eficaz.

En este apartado se proponen algunos procedimientos, basados en los principios de aprendizaje anteriormente expuestos, que pueden ser útiles ante la aparición de conductas de desobediencia. La mayor parte de ellos se basan en cambiar las consecuencias que genera una conducta, dado que parece obvio que si los problemas de conducta dependen de las consecuencias, una estrategia de cambio consista en modificar esas consecuencias. Veamos cómo establecer consecuencias diferentes.

3.1. Retirar la atención

Un procedimiento muy eficaz para reducir o eliminar problemas cotidianos de comportamiento en los niños es ignorar la conducta. Es decir, eliminar la atención (refuerzo positivo) que esa conducta provocaba. Si se es constante en la puesta en marcha de este procedimiento, el niño acabará dándose cuenta de que actuando de ese modo ya no obtiene la recompensa de la atención, por lo que es esperable que de forma gradual deje de emitir esa conducta. A la hora de poner en marcha la retirada de atención y de cara a maximizar la eficacia del procedimiento conviene:

1. Evitar mantener contacto ocular con el niño o hacerle algún tipo de seña no verbal (gesto, mueca, etc.). Para ello puede ser útil volverse de espaldas o incluso salir de la habitación donde esté el niño.
2. No mantener ningún contacto verbal con él. Si ha decidido ignorarle no debe decirle nada; se debe recordar que reprochar, sermonear, explicar, etc., son formas de prestar atención y, por tanto, de reforzar conductas que no deseamos.
3. No mantener ningún contacto físico, y si él se acerca lo mejor es apartarse sin decir nada.
4. Es importante comenzar a ignorar al niño tan pronto como la conducta comienza y dejar de hacerlo cuando la conducta inadecuada termine. Por ejemplo, si Pablo comienza una llantina porque quiere bajar al jardín y la madre ha decidido ignorarle, deberá retirar la atención desde los primeros momentos en que Pablo comienza a hacer pucheros, y mantenerse así hasta que la llantina desaparezca del todo. Una vez terminada, puede comenzar a hacerle caso de nuevo, pero sin referirse para nada a lo sucedido anteriormente.
5. Hay que tener presente que la retirada de atención es un procedimiento de extinción, por tanto, es esperable que en los primeros momentos de su puesta en marcha se produzca un aumento de la frecuencia de la conducta y un agravamiento de la misma.
6. Es necesario ser paciente, éste es un procedimiento lento que produce una reducción paulatina de la conducta, y que, por tanto, requiere paciencia y esfuerzo por parte de la persona que lo lleva a cabo. Por eso, es

importante escoger unas condiciones adecuadas para comenzar a implantarlo. Por ejemplo, no parece recomendable comenzar a extinguir la conducta de Inés de levantarse por la noche e ir a la cama de sus padres, si al día siguiente su padre ha de asistir a una entrevista de trabajo muy importante.

7. Es necesario mantener la retirada de atención de forma constante hasta que desaparezca la conducta. Si no se hace así, y de vez en cuando volvemos a prestar atención a dicha conducta, en vez de eliminarla la estaremos reforzando de forma intermitente, lo que hará que ésta se mantenga durante más tiempo.
8. Este procedimiento no debe ser empleado en aquellas conductas que puedan suponer un daño para el propio niño o para otros, como, por ejemplo, golpearse la cabeza contra la pared. Tampoco en aquellas conductas que queremos que desaparezcan de forma inmediata, dado que es un procedimiento eficaz pero lento.

3.2. Reforzar conductas positivas y contrarias a las no deseadas

A fin de que la técnica de ignorar y el resto de procedimientos de cambio que vamos a proponer resulten más eficaces, es conveniente reforzar (a través de reforzadores tangibles, de actividad o sociales) las conductas positivas que el niño emite. Es fundamental, si se quiere modificar la conducta de un niño o un adolescente, estar atento y reforzar de forma sistemática todas aquellas conductas positivas contrarias a aquella que se quiere eliminar. Algunos consejos pueden ser de utilidad a la hora de poner en práctica este procedimiento:

1. Conviene reforzar más de una conducta alternativa a la que queremos eliminar, con el fin de que el niño adquiera un mayor repertorio conductual.
2. Es preciso seleccionar para ello estímulos reforzadores adecuados al niño y aplicarlos de forma consistente cada vez que aparecen estas conductas.
3. Se debe suprimir totalmente el reforzamiento de la conducta inadecuada.
4. En algunos casos, si el niño no posee conductas alternativas a la que queremos extinguir, deberemos instaurarlas paso a paso.
5. Es necesario mantener el programa de reforzamiento en todos los contextos en los que se produzca la conducta del niño.

3.3. Costo de respuesta

En ocasiones, si la retirada de atención no es suficiente, o si se necesita eliminar la conducta de forma más inmediata, o no es posible permitir que se produzca el incremento conductual que sigue a la retirada de atención, se puede utilizar el costo de respuesta. Como ya se vio en la sección anterior, éste consiste en la retirada de ciertos acontecimientos agradables (ver la televisión, tener la puerta abierta a la hora de acostarse, salir al recreo, etc.) o de ciertos estímulos que el niño posee (dinero, fichas, juguetes, etc.), de forma contingente a la realización de la conducta inadecuada. Para que este procedimiento resulte más eficaz es necesario tener en cuenta las siguientes consideraciones:

1. Para aplicar este procedimiento es condición indispensable que el niño tenga algo que retirarle. Es decir, que disponga de una reserva de reforzadores (juguetes, dinero, fichas, determinados privilegios, etc.). Por

eso, resulta especialmente útil cuando se utilizan fichas o puntos como reforzadores. En estos casos conviene antes de instaurar el costo de respuesta hacer posible que el niño acumule una cierta cantidad de fichas que posteriormente le serán retiradas como forma contingente a la ejecución de una determinada conducta.

2. Se debe especificar de forma clara cuál va a ser la magnitud del costo de respuesta. Por ejemplo, cada vez que llegues tarde a casa me darás 50 pesetas de la paga.
3. En general, parece que cuánto más elevado es el costo de respuesta más eficaz es. Ahora bien, es importante calcular la cantidad de reforzadores a los que el niño tiene acceso y en función de eso regular el costo. En ningún caso conviene que el sujeto tenga un saldo negativo para él, ya que en este caso el procedimiento deja de ser efectivo. De la misma manera, debemos ajustarlo de forma que la pérdida implicada en el costo de respuesta no sea fácilmente reparable por el sujeto.
4. Debe aplicarse siempre que se produzca la conducta indeseable y tan inmediato a la emisión de ésta como sea posible; si no, el procedimiento resulta menos efectivo.
5. Conviene explicar al niño de forma clara cuáles son las reglas del juego con el fin de facilitar el aprendizaje de las contingencias.
6. Debe aplicarse siempre en combinación con el reforzamiento de la conducta deseable.

3.4. Tiempo fuera o aislamiento

Hay muchas situaciones en las que es difícil ignorar la conducta del niño, bien porque el prestar o no atención no depende de nosotros (son otras personas las que refuerzan la conducta: abuelos, amigos, compañeros, etc.), o bien porque la conducta es excesivamente disruptiva y necesitamos ponerla fin de una manera más rápida. En estos casos un procedimiento que puede ser de utilidad es lo que se conoce como *tiempo fuera o aislamiento.* El procedimiento consiste en sacar al niño de las condiciones ambientales en las que se está reforzando el comportamiento y trasladarlo a un lugar donde no exista la posibilidad de obtener reforzamiento. Por ejemplo, cuando los abuelos de Paquito vienen a visitarle, éste no para de dar golpes a los muebles y de hacer travesuras, mientras sus abuelos comentan «pobrecito, es pequeño...». En este caso dado que la madre no puede controlar el reforzador (comentarios y atención de los abuelos), una buena alternativa para reducir la conducta de su hijo es que cada vez que Paquito dé una patada a un mueble o realice una travesura, se lo lleve, por ejemplo, a su habitación, o a una esquina de la casa en la que esté solo y lo mantenga allí durante un tiempo. Pasado ese tiempo, Paquito regresará al lugar donde estaba jugando con sus abuelos, y en caso de que la conducta se repita la madre volverá actuar de la misma forma.

Veamos otro ejemplo: si David interrumpe constantemente la clase diciendo chistes o impertinencias que provocan las risas de los compañeros (reforzador), quizá una alternativa del profesor de David sea sacarlo de la clase y llevarlo a un lugar donde pueda permanecer aislado durante unos minutos (un cuarto preparado para ello, el pasillo, etc.)

Para que este procedimiento sea eficaz es necesario tener en cuenta una serie de reglas.

1. El lugar al que se traslade al niño no debe ser amenazante, pero sí aislado y aburrido. Si se le lleva, por ejemplo, a su habitación y allí puede ponerse a jugar con sus juguetes, o se le saca de la clase al pasillo y allí puede estar jugando y charlando con otros niños, el tiempo fuera puede ser ineficaz.

2. El traslado debe hacerse inmediatamente después de que ocurra la conducta inadecuada con calma y firmeza, pero sin gritos ni agresiones.
3. Conviene explicar de forma clara las condiciones del aislamiento. Por ejemplo, si ha decidido sentar a su hijo mirando a la pared en un rincón de la cocina cada vez que le interrumpe cuando usted habla con un invitado, cuando esto suceda cójalo por la mano, diríjalo a la silla y dígale: «Dado que sigues gritando mientras yo estoy hablando con otra persona, permanecerás aquí sentado hasta que yo te lo diga».
4. No discuta ni razone con el niño mientras lo coge para llevarlo al tiempo fuera de reforzamiento o mientras está en el tiempo fuera de reforzamiento. Ignore completamente sus posibles protestas o promesas de comportarse bien.
5. Si su hijo sale del tiempo fuera de reforzamiento sin su permiso, inmediatamente y de modo firme cójalo de nuevo y llévelo a su sitio, anunciándole la aparición de consecuencias más aversivas si vuelve a violarlo; por ejemplo, «si vuelves a salir del cuarto te daré un azote».
6. La duración del tiempo fuera debe ser relativamente breve, pues tiempos muy largos no son más beneficiosos y muchas veces desorganizan la conducta e interfieren mucho con la actividad normal del niño. Algunos autores (Hall y Hall, 1980) hablan de un minuto por año del niño hasta un máximo de 20.
7. Una vez terminado el tiempo de aislamiento, saque a su hijo del tiempo fuera y haga que vuelva a la actividad anterior. Si cuando vamos a buscarlo para sacarlo del aislamiento está realizando comportamientos inadecuados (gritar, llorar, romper objetos, etc.) entonces no debe sacársele de allí hasta que no esté un tiempo, por ejemplo 15 segundos, comportándose correctamen-

te (Gelfand y Hartmann, 1989). Asimismo, si cuando llegamos a buscarle encontramos que ha producido algún tipo de destrozo en la habitación (la ha desordenado, ha roto algo, etc.) deberá arreglarlo y limpiarlo lo mejor posible antes de salir del aislamiento.

8. No se debe aplicar el tiempo fuera de reforzamiento cuando con él el niño consigue evitar una situación aversiva. Por ejemplo, si a Mónica no le gusta hacer problemas de matemáticas, y cada vez que se porta mal en clase de matemáticas su profesor la saca al pasillo y así se libra de hacer problemas, es posible que el comportamiento del profesor en lugar de castigar esté reforzando el comportamiento de Mónica.
9. Es imprescindible combinar el procedimiento con el refuerzo de la conducta alternativa.

3.5. El castigo positivo

El castigo positivo, tal y como se ha señalado anteriormente, es el método más eficaz a la hora de eliminar una conducta, dado que si éste se aplica de modo correcto produce una reducción rápida y completa del comportamiento que queremos eliminar. Los padres y maestros administran con frecuencia castigos a las conductas inadecuadas de los niños en forma de cachetes, bofetadas, encierros en lugares amenazantes, palabras ofensivas o amenazas (eres más tonto que..., te voy a dar...), burlas, etc.

Sin embargo, a pesar ser un procedimiento eficaz debe ser utilizado como último recurso, cuando los otros procedimientos han fracasado, o en conductas muy inadecuadas o peligrosas que necesitamos eliminar de manera inmediata, dado que su administración indiscriminada puede producir importantes efectos negativos:

1. Puede ocasionar al niño daños físicos.
2. El niño puede sacar la conclusión de que no es hábil, que es un desastre, que no sirve para nada, etc.
3. A través del castigo se le enseña al niño lo que no debe hacer, pero no se le indica cuál es la conducta positiva que se espera de él.
4. El castigo proporciona al niño un modelo de conducta agresiva, modelo que es de esperar que el niño acabe imitando.
5. El castigo provoca reacciones negativas hacia la persona que los aplica (padres, maestros, etc.), por lo que interfiere el establecimiento de unas adecuadas relaciones afectivas entre el niño y sus educadores.

En aquellos casos en que nos veamos obligados a utilizarlo conviene tener en cuenta las siguientes consideraciones:

1. Para que el castigo, sea eficaz, en la reducción de una conducta es necesario que se aplique de forma inmediata a la emisión de ésta, ya que esto favorece que el niño pueda establecer una relación directa entre la conducta y su consecuencia.
2. El castigo, para que sea eficaz, debe ser intenso. Parece evidente, sin embargo, que especialmente en el caso de las agresiones físicas (bofetadas, azotes, etc.) esto plantea serios problemas de tipo ético.
3. Conviene que el castigo sea breve, ya que, si no, acaba perdiendo su carácter aversivo, dado que el niño se acaba acostumbrando al mismo. Si castigamos a María Jesús bajándola al cuarto trastero cada vez que se porta mal, y hacemos que pase allí horas y horas, es posible que si al principio dicho cuarto producía algún tipo de miedo o temor, al cabo de varias horas la niña se haya familiarizado con él.

4. Para que el castigo sea efectivo es necesario que se aplique todas y cada una de las veces que se produce la conducta inadecuada.
5. Si decidimos recurrir al castigo físico porque el resto de los procedimientos han fracasado, quizá lo más conveniente sean los azotes en el trasero, siendo conveniente establecer un número fijo (dos o tres).
6. Tal y como hemos venido señalando hasta ahora, es imprescindible combinar el castigo con el reforzamiento de las conductas adecuadas. No olvidemos que con el castigo sólo eliminamos conductas; por tanto, si no reforzamos de forma paralela otros comportamientos, lo que conseguiremos es un niño que no emite conductas, y parece obvio que no se trata de esto.

Resumen

En este capítulo se expone una serie de procedimientos que se han mostrado eficaces en el cambio de conductas: retirada de atención, reforzamiento de conductas alternativas, costo de respuesta, tiempo fuera y castigo. Se describe brevemente cada uno de ellos y se indica una serie de consejos prácticos a tener en cuenta en su aplicación con el fin de maximizar la eficacia de los mismos.

4

Cómo identificar las conductas de desobediencia del niño

4.1. Vamos a describir la conducta del niño

La mayoría de los padres y maestros encontrarán de gran ayuda describir claramente cuál es la conducta del niño que desean cambiar. De hecho, para realizar estos cambios es necesario haber especificado y delimitado esas conductas. Esto también ayudará al padre a tomar conciencia de sus propias reacciones (cuáles son, cómo y cuándo se producen) ante la conducta del niño, lo que, como se ha visto, es crucial para lograr el cambio deseado.

Describir bien una conducta puede no ser tan sencillo como a primera vista parece. Decir que Javier es un niño «travieso» es, para nuestros fines, completamente incorrecto. ¿Qué quiere decir exactamente travieso: que ha roto un cristal jugando con el balón, que se ha pasado la tarde saltando encima de la cama, que ha escondido los zapatos de toda su familia, que se ha tirado por un tobogán demasiado alto, que se escapó por el parque sin hacer caso de los gritos de su madre? ¿Es cierto que Javier es tan «travieso» o es que sus padres exageran en sus críticas? Si nos pusiéramos en una esquina y preguntáramos a 100 personas qué significa para ellos ser travieso, seguramente tendríamos muchas definiciones distintas. Es posible que lo que una persona considera travesuras, para otra no signifique más que una expresión de la vitalidad del niño, para otra un juego propio de su edad y para otra sea una auténtica gamberrada. Por eso es necesario que, antes de pretender cambiar la conducta de su hijo, sea capaz de especificar y describir claramente qué es con exactitud lo que desea cambiar. No es fácil, porque las personas mayores nos hemos acostumbrado a utilizar un lenguaje poco específico y nada descriptivo, pero no se desanime: con la práctica será pronto capaz de definir claramente las actividades de su hijo. ¿Cree que puede hacerlo ya? Vamos a verlo. Conteste si las descripciones de las siguientes conductas son o no claras:

a) Marina es una niña muy llorona.
b) Javier se levantó hoy del asiento siete veces durante la clase de Matemáticas.
c) Miguel lo pasa muy bien en la guardería.
d) Alicia se portó mal en la mesa durante la comida.
e) Es normal que los niños de dos años tengan rabietas.
f) Pilar se lava los dientes todas las mañanas.

La frase *a*) no es una buena descripción de la conducta de Marina. Usted puede considerar que Marina es llorona si la niña llora todos los días, si lo hace durante un tiempo prolongado, o si un día a la semana le da por llorar sin parar. Los objetivos (y los métodos) de cambio serían distintos en estas tres situaciones. Realmente, la frase no nos indica qué es lo que hace Marina (ni siquiera si nuestra valoración de lo que es «ser llorona» es auténtica o es compartida por la mayoría de la gente).

La frase *b*) sí es una buena descripción de la conducta de Javier: sabemos qué es lo que ha hecho (levantarse de la silla), cuándo lo ha hecho (hoy) y por cuánto tiempo (durante la clase de Matemáticas). La conducta de Javier se expresa en términos que podemos medir y contabilizar. Es muy importante contar con estos datos para estar seguros de que los métodos de cambio que aplicaremos logran o no su objetivo.

La frase *c*) no es clara. «Pasarlo muy bien» es una descripción subjetiva, que no nos dice qué hace exactamente Miguel, cuánto disfruta de cada una de sus actividades ni durante cuánto tiempo disfruta. No podemos comparar esta experiencia con otras pasadas o futuras, no la podemos cuantificar ni medir.

La frase *d*) tampoco es una buena descripción de la conducta de Alicia. Portarse mal puede ser tirar la leche, comer con los dedos, jugar con la comida, hacer ruido al masticar, molestar a los demás con los cubiertos. Además, lo que un padre puede considerar comportamiento incorrecto en la mesa, para otro puede no ser más que una falta de habilidad propia de la edad de la niña.

La frase *e*) no es clara. Si hubiéramos dicho: «Es frecuente que los niños de dos años se tiren al suelo, pataleen, lloren y griten cuando no consiguen aquello que desean», todos sabríamos de qué estamos hablando, qué conductas hacen los niños y en qué situaciones las hacen. Si sólo decimos: «Es normal que tengan rabietas» estos aspectos de la situación pueden no entenderse.

La frase *f*) es una buena descripción de la conducta de Pilar: sabemos que se lava los dientes (conducta), todos los días (frecuencia) por la mañana (momento de ocurrencia de la conducta). La frase refleja el comportamiento de Pilar, en términos que podemos medir y que nos sirven para compararla con la conducta de otras niñas, con la misma conducta en el pasado y/o en el futuro, o con otras conductas de Pilar.

Ya hemos dicho que los adultos nos hemos acostumbrado a usar un lenguaje poco descriptivo que deja mucho margen a la interpretación. Casi todos nos hemos encontrado con problemas a la hora de cambiar impresiones sobre nuestros hijos con personas que también están encargadas de su cuidado, como los «canguros», los maestros o los pediatras. Si le dice a su pediatra que el niño «está pachucho», le pedirá rápidamente que especifique cuáles son los síntomas concretos que presenta el niño. Otras veces, se dará cuenta al cabo de un rato, de que usted y la maestra de su hijo están hablando de cosas distintas y que no le ha quedado claro qué ha querido decir ella al mencionar que Juan es un niño difícil. Es posible que al hablar con otra madre, ambas coincidan en que sus respectivos hijos, a pesar de todo, son unos encantos, aunque cada una lo piense por distintos motivos. Ocurre así porque, en la mayoría de los casos, en vez de descripciones puras y simples de lo que hacemos, tendemos a utilizar «etiquetas»: Juan es *«travieso»*, Marina es *«llorona»*, Miguel juega *«feliz»*. (Un consejo: cuando quiera obtener información de alguien, desconfíe de las frases «Paquito es...», no suelen ser buenas descriptoras de la conducta de Paquito.)

La *interpretación* es uno de los problemas con que nos encontramos al emplear un lenguaje poco preciso. Otro de los problemas es la *vaguedad*. La vaguedad interfiere con cualquier intento de medición o cuantificación de la actividad de su hijo. Una madre puede quejarse de que su hijo se despierta «muchas veces» por la noche, o que pasa «mucho rato» despierto, llamándola, después de haberlo acostado. En este caso, la conducta estaría bien definida (casi todo el mundo está de acuerdo en qué significa despertarse o llamar); sin embargo, no podemos cuantificarla por la vaguedad del resto de los términos. «Muchas veces» pueden ser 10, 20 ó 30; «Mucho rato» puede ser 30 minutos o una hora; si no cuantificamos estos términos, no podremos compararlos con las veces que se despierta el niño o el tiempo que permanece despierto llamando a su madre después de haber aplicado un determinado tratamiento; por tanto, no podemos comprobar si éste es o no eficaz y si debemos seguir utilizándolo.

Por último, a la hora de describir una conducta, debemos intentar evitar la pobreza de las definiciones y de las descripciones. Si quiere que su hijo ayude en las tareas de la casa, explíquele con todo lujo de detalles qué es exactamente lo que se espera de él. De otro modo, es posible que su propia conducta (la de los padres) sea inconsistente, refuercen a su hijo de manera inadecuada y dificulten el aprendizaje. Veamos un ejemplo: la madre de Juan quiere que éste ayude a poner y quitar la mesa, así que decidió recompensarlo por cada vez que lo hiciera, y así se lo comunicó a su hijo: «Si me ayudas a poner y quitar la mesa todos los días, al mediodía y por la noche, podrás ver media hora de dibujos animados después de cenar». La definición de la conducta (poner y quitar la mesa), de la situación (al mediodía y por la noche), de la frecuencia (todos los días) y de la recompensa (ver media hora de dibujos animados después de cenar) son correctas. Sin embargo, la madre de Juan no especificó claramente en qué consistía la ayuda, de modo que Juan llevó y distribuyó los vasos y los cubiertos en la mesa y reclamó su recompensa. Su madre consideró que la ayuda no era suficiente y no le dejó ver la televisión. Al día siguiente, cuando le pidieron a Juan que ayudara con la mesa, éste no quiso, acabó discutiendo con su madre y castigado en su cuarto. El plan se había echado a perder por falta de acuerdo entre Juan y su madre, por la pobreza en la descripción de la conducta requerida a Juan.

La madre de Marina también quería que su hija realizara algunas tareas de la casa. Como Marina era muy desordenada, su madre decidió que de lo primero de lo que debía ocuparse era de su habitación. Antes de empezar, tenía que saber claramente qué significaba «ocuparse de la habitación», de modo que pudiera recompensar de forma consistente a su hija. Como Marina sólo tenía cinco años, su madre decidió que recoger los juguetes que había utilizado ese día era suficiente para obtener una recompensa. Con el paso del tiempo, «ocuparse de la habitación» fue significando cada vez más cosas, de modo que cuando Marina tenía siete años, también debía ocuparse de colgar su abrigo y de llevar la ropa sucia a lavar, y cuando cumplió los diez años, la expresión incluía, asimismo, hacerse la cama antes de ir al colegio. Aunque se expresaba de la misma manera («ocuparse de la habitación») madre e hija habían acordado los distintos significados de la expresión a lo largo del tiempo, por lo que en ningún momento había duda sobre la tarea encomendada.

Hay que recordar también que los juicios sobre las conductas tienden a cambiar no sólo con el paso del tiempo, sino también de una situación a otra y dependen, asimismo, del humor de quien los formula. En un ejemplo anterior, los padres de Alicia no habían considerado que las conductas de su hija en la mesa eran incorrectas, hasta el día en que tuvieron invitados a comer. Las conductas eran las mismas, pero la situación había cambiado, y el juicio de los padres sobre el comportamiento de Alicia también. La maestra de Rebeca considera que es una niña muy tranquila, que nunca se pelea con los demás niños, ni alborota la clase, ni provoca ningún problema. Un año después considera que esa tranquilidad es excesiva y que lo que le ocurre a Rebeca es que presenta una incapacidad para relacionarse con los demás (la niña sigue comportándose igual que siempre). Otro ejemplo: acaba de enterarse de que le han tocado varios millones en la lotería. Cuando llega a casa, su hijo Javier (cuatro años) está saltando encima del sofá. Usted le sonríe: «Salta, salta que ya podemos comprarnos uno nuevo y tirar este vejestorio». Imagine ahora la misma situación, pero, en vez de la lotería, hoy le ha tocado hacer un trabajo difícil y pesado, cuando llega a su coche ve que le han roto el cristal y le han robado la radio y, para colmo, su plaza de garaje está ocupada por una camioneta de propietario desconocido. Cuando ve a Javier saltando en el sofá, no puede contenerse; lo lleva de la oreja hasta su cuarto, mientras le regaña: «Eres malísimo, siempre estás haciéndome perrerías, nunca haces nada bueno». La conducta del niño es la misma en ambas ocasiones; usted las enjuicia de distinta manera dependiendo de su estado de humor. Así pues, es importante recordar que, en aras de la claridad, debe evitar hacer juicios y, por el contrario, ha de intentar describir justamente lo que pasa. Lo habrá conseguido si se las arregla para describir una conducta de su hijo de modo que signifique lo mismo para la mayoría de la gente que lo oiga. Éste será el primer paso para poder observarla y modificarla. En la tabla 4.1 podemos ver más ejem-

Tabla 4.1

Vagas	Precisas
Margarita lo pasa muy mal en la guardería.	Margarita llora alrededor de media hora antes de incorporarse a los juegos. Margarita permanece sentada y cruzada de brazos toda la mañana. Margarita no habla con sus compañeros durante el recreo. Margarita permanece agarrada a la valla del jardín llorando y gritando hasta que su madre se pierde de vista.
Carlos tiene rabietas en clase.	Carlos se tira al suelo y patalea a la puerta de clase. Carlos pasa la primera media hora de clase llorando y gimiendo en voz alta. Carlos permanece alrededor de diez minutos de cara a la pared, golpeándola y chillando.
Marta es una niña muy desobediente.	Marta se ha negado tres veces a recoger su habitación. Marta ha ignorado las órdenes de su madre (dadas cuatro veces) de lavarse la cara. Marta sólo hace lo que se le pide después de recibir tres o cuatro veces la misma instrucción.
Pepe se portó muy bien esta mañana.	Pepe ha permanecido sentado mientras su hermana le contaba un cuento. Pepe ha jugado con los bloques durante una hora y ha estado sentado y callado mientras veía dibujos animados. Pepe ha puesto los vasos y los platos en la mesa antes de comer.

plos de definiciones vagas y precisas y cómo a cada definición vaga pueden corresponderle varias definiciones concretas.

Recuerde, habrá definido la conducta en términos observables y mensurables si significan lo mismo para la mayoría de la gente. Lo ideal sería que pudiera contestar «SÍ» a las siguientes preguntas (Peine y Howarth, 1990):

— ¿Bastaría la descripción de la conducta para que dos personas se pusieran de acuerdo en lo que el niño está haciendo?
— ¿Basta la descripción de la conducta para saber cómo o cuándo comienza y acaba, o cuántas veces aparece?
— ¿La descripción de la conducta es lo suficientemente clara como para seguir siendo la misma independientemente del tiempo transcurrido, de los lugares donde se dé, o del humor que usted tenga?

Si es capaz de definir así las conductas de sus hijos, ¡felicidades!, ya va a poder observarlos. Si no, no se preocupe, ésta es una habilidad que requiere cierto tiempo, pero que, con la práctica, todo el mundo alcanza.

Recuerde, además, que si no se definen claramente los aspectos de la conducta de su hijo que le preocupan (forma en que se da, su frecuencia, duración o intensidad), tendrá dificultades en comunicar el problema a los demás, en estimar su gravedad y en cambiar este comportamiento que le preocupa.

4.2. Observación y registro de las conductas

Ahora que ya sabemos cómo describir la conducta del niño, deberemos precisar qué característica de la conducta es la que vamos a observar: las conductas se prolongan durante un tiempo (duración), se producen un determinado número de veces (frecuencia) o se dan con un cierto grado de intensidad.

Lo interesante será medir la característica que mejor nos ayude a cambiar la conducta del niño. Veamos algunos ejemplos:

a) Su hijo se niega repetidamente a comer y a usted le cuesta abundantes sudores y malos ratos el conseguir que trague algunas cucharadas de papilla o unos trozos de pescado. Para ver cuánto come en realidad su hijo, es posible que sea cómodo anotar el número de cucharadas de puré y de trozos de pescado que el niño ingiere en la comida. Sin embargo, las cucharadas pueden estar más o menos llenas o ser más o menos grandes (a menos que tomemos la precaución de utilizar una misma cuchara siempre), y lo mismo le ocurre al pescado, por lo que una medida más exacta vendría dada por la *cantidad* de comida (en gramos) que acepta el niño (sin embargo, esta medida es muy engorrosa de tomar, por lo que, si se tiene el cuidado de utilizar siempre la misma cuchara y de partir los alimentos sólidos en trozos similares, es mucho más cómodo anotar el número de cucharadas y trozos de alimento sólido que el niño toma en cada comida).

b) Su hijo duerme muy mal por las noches, se despierta regularmente, llora durante unos minutos y después se vuelve a dormir. En este caso es conveniente evaluar la frecuencia de la conducta, el *número de veces* que ocurre cada noche (¿es posible que esté usted tan cansado que le parezca que se despierta cada dos por tres y que esto no sea así?) La observación y el registro de este tipo de conductas ayuda muchas veces a los padres a darse cuenta de que «no es tan fiero el león como lo pintan» y de que las conductas desadaptativas o molestas de sus hijos no se presentan tan a menudo como ellos creen.

c) Aunque Miguel no se despierta durante la noche, pasa un largo tiempo desde que se acuesta hasta que se duerme. Durante ese tiempo, reclama a su madre varias veces: que si agua, que si pis, que si un cuento, que si hay un monstruo en la ventana, que si no quiere dormir, que si mamá se puede quedar un rato, etc. Su madre está cansada ya de pasarse un rato largo todas las noches atendiendo a las peticiones del niño, así que decide registrar *durante cuánto tiempo* permanece Miguel despierto después de acostarse (no el número de peticiones, pues éstas pueden ser pocas, pero darse muy espaciadas, y a la madre de Miguel lo que le interesa es reducir el tiempo que el niño permanece despierto llamándola).

d) El problema de Jorge es que nunca obedece, o, al menos, así lo piensa su padre. Sin embargo, es muy posible que Jorge sí atienda a algunas de las peticiones que se le hacen. En este caso hay que anotar tanto las peticiones u órdenes que cumple, como las que ignora y las que se niega a realizar. Un registro de este tipo nos dará información sobre la *proporción* de peticiones aceptadas por el niño, pero nos dará también información del número y tipo de peticiones que le hace su padre (quizá sean excesivas, o quizá, sin darse cuenta, su padre le da sólo aquellas instrucciones que va a desobedecer o ignorar).

A estas alturas, ya se habrá dado cuenta que observar y registrar no es otra cosa que contar: contar cuántas veces ocurre una conducta, cuántos minutos (segundos u horas) dura una determinada acción, en qué proporción (de tiempo, de veces) se da una conducta, etc.

Es necesario observar y registrar el comportamiento de los niños antes, durante y después de aplicar cualquier estrategia de intervención. De ese modo, usted podrá ir valorando si la estrategia que utiliza es útil para sus fines (disminuir o aumentar una conducta en particular) y tomar decisiones en consecuencia (seguir utilizando esa estrategia durante algo más de tiempo, ir retirándola, pues se han alcanzado los resultados esperados, o suspenderla por no ser efectiva). Pero no sólo eso, el registro le puede ayudar también a ser consciente de sus propias conductas y de las circunstancias en las que éstas se desarrollan: es posible que se dé cuenta, entonces, de que le molesta mucho más la conducta de jugar a gritos de su hija (y, en consecuencia, la regaña mucho más) cuando está usted cansado o irritado. También el registro le ayudará a darse cuenta de pequeños cambios, apenas perceptibles de otro modo, que experimenta la conducta de su hijo. Puede parecer engorroso y complicado al principio, pero los adultos estamos acostumbrados a medir (lo hacemos con mucha frecuencia) y rápidamente se acostumbrará a ello. A fin de cuentas, ésta es una acción habitual para usted, que repite en muchas ocasiones, aunque no se haya percatado de ello. Por ejemplo, nota que su hijo tiene la frente y las manos demasiado calientes: le pone el termómetro para medir la temperatura (contar cuántos grados tiene) y decide darle una aspirina (estrategia de intervención); al rato, vuelve a ponerle el termómetro, para ver si la fiebre va bajando (registra usted si su intervención está siendo útil); al cabo de unas horas vuelve a poner el termómetro para ver si la fiebre ha desaparecido (es decir, comprueba la temperatura para decidir si su intervención ha sido eficaz, o si debe prolongarse más tiempo, o suspenderse por ineficaz). Pues igual que hace usted con la fiebre de su hijo, puede hacer con cualquier conducta.

Hay muchos métodos de registro; aquí vamos a enseñarle los denominados de lápiz y papel, porque son ésos los instrumentos que se utilizan. El tipo de registro que se efectúe, la duración del registro, el tiempo que debe dedicarle cada día, etc., dependerá de las características de la conducta que deseamos modificar. Por ejemplo, si es una conducta que se da con mucha frecuencia, no es necesario registrar en todas las ocasiones en que aparece; si es una conducta que aparece sólo en unas determinadas circunstancias (por ejemplo, sólo los días que viene la abuela), habrá que registrar también el contexto para ver cómo esas circunstancias influyen en la conducta del niño; si el comportamiento es poco frecuente, pero prolongado, será seguramente más interesante registrar su duración.

Ahora veamos algunos ejemplos de registro, correspondientes a los ejemplos presentados más arriba:

a) Si quiere anotar la cantidad de alimentos que toma su hijo, un registro de este tipo le puede servir (también puede apuntar el número de cucharadas de papilla o de trozos de alimento sólido que toma, si le es más cómodo).

Registro 4.1

Cantidad de alimentos ingeridos al día

Comida	Lunes	Martes	.....	Domingo
Desayuno	200 cc leche 25 g cereal	200 cc leche 30 g cereal 2 galletas		200 cc leche 30 g cereal 2 galletas
Comida	50 g papilla 50 g pescado	60 g papilla verduras, 40 g pollo 2 fresas		60 g puré patatas 50 g pescado 5 cerezas
Merienda	100 g papilla fruta	100 g papilla frutas		1 yogur 100 g papilla fruta
Cena	1 huevo 200 cc leche	50 g patata 50 g pescado 200 cc leche		50 g macarr. 50 g pollo 200 cc leche

b) El padre de Javier ha decidido anotar el número de veces que su hijo se despierta cada noche. Un posible registro de esta conducta tendría la forma siguiente:

Registro 4.2

Registro de frecuencia

Lunes	Martes	Miércoles	Jueves	Viernes	Sábado	Domingo
///// ///// //	///// ///// /////	///// ///// ///// ///	///// //	///// ///// ///// /////	///// ///// //	///// /////
12 Se acostó tarde	15 Sin cenar	18 Tos y fiebre	7 No durmió siesta	20 Fiebre alta	12	10 No durmió siesta

En un registro de frecuencia se debe anotar, cada día de la semana, cada vez que aparece la acción, claramente definida, del niño (en este caso, despertarse y llorar); a veces ayuda incluir un pequeño comentario de lo que ha sucedido durante el día y que crea usted que puede estar relacionado con el problema. Así, por ejemplo, podemos ver en el registro que los días que Javier se despierta menos, no ha dormido la siesta.

c) La madre de Miguel está interesada en reducir la duración de la conducta de su hijo: mantenerse despierto después de haberse acostado. En este caso, el registro que sería conveniente, tendría la forma siguiente:

Registro 4.3

Registro de duración

Semana: del 30-5-94 al 5-6-94
Observación: tiempo que tarda Miguel en dormirse

Lunes	Martes	Miércoles	Jueves	Viernes	Sábado	Domingo
21-21,48	21-22,10	21-22,45	21-21,30	21-21,50	21,30-21,55	21,45-21,57
48′	70′ Tenía miedo	105′ Vecinos ruido	30′ Dejé cuento puesto	50′	25′ No durmió siesta	12′ No durmió siesta

En este registro, la madre de Miguel anotó la hora a la que acuesta al niño y la hora en que se produce la última llamada de éste. Asimismo, anotó algunas circunstancias que creía que podían influir en la conducta de su hijo. Así pudo darse cuenta de que si Miguel no dormía la siesta, tardaba mucho menos en dormirse por la noche.

d) El padre de Jorge piensa que su hijo no es en absoluto cooperativo respecto a determinadas peticiones, como la de recoger los juguetes, llevar la ropa sucia al lavadero (en vez de dejarla desperdigada por el baño y la habitación) o jugar con Alberto, su hermano menor. Decide averiguar qué proporción de estas peticiones es atendida por Jorge. Primero, decide que una petición o instrucción se considerará obedecida si Jorge la cumple o empieza a hacerlo en un plazo inferior a tres minutos y sin que se le diga más de una vez (es decir, el padre o la madre dan la instrucción y esperan tres minutos antes de repetirla, pero si la repiten, la instrucción no se considera obedecida correctamente). Consideraron tres posibles respuestas de Jorge: que contestara correctamente a la petición (se anota con el signo +); que obedeciera, pero después de los tres minutos o de que se lo hubieran pedido varias veces (se anota con el signo –) o que no obedeciera en absoluto (se anota con un signo 0). El registro que obtuvo el padre de Jorge fue el siguiente:

Registro 4.4

Registro de proporciones

Día	Recoger juguetes	Recoger ropa	Jugar con hermano	Comentarios
Lunes	–	0	+	Jugó toda la tarde con A.
Martes	+	+	+	Vino la abuela
Miércoles	0	0	–	Tenía mucho sueño
Jueves	–	0	+	Enfado con Jorge, no cena
Viernes	+	+	–	Mañana vamos al cine
Sábado	+	+	+	Fuimos al cine
Domingo	–	0	+	

Lo que el padre de Jorge ha registrado es que el niño ha cumplido correctamente el 43 por 100 de las peticiones de recoger los juguetes (3 de 7), el 43 por 100 de las instrucciones de recoger la ropa y el 71 por 100 de las peticiones de jugar con su hermano. Este tipo de información es más válido para controlar la eficacia de la intervención posterior, que la mera enumeración de las peticiones atendidas correctamente.

Como en los registros anteriores, se ha considerado oportuno recoger determinadas circunstancias que pueden influir en la conducta de Jorge. Así, por ejemplo, podríamos observar que ha cumplido correctamente más peticiones los días que parece haber una ruptura en la rutina (viene la abuela, su padre le promete llevarle al cine, van al cine, etc.). De todos modos, el padre de Jorge se da cuenta, a la vista de los resultados del registro, que Jorge cumple correctamente más peticiones de las que él creía, y que estaba equivocado al pensar que era completamente desobediente.

Este tipo de registro, el registro de proporciones, se utiliza también frecuentemente cuando queremos conocer el progreso de un sujeto en una determinada habilidad: por ejemplo, es útil contar el porcentaje de respuestas correctas en la realización de ejercicios de lectura o de cálculo, o el porcentaje de veces que un niño que está aprendiendo control de esfínteres pide el pis a tiempo, o la proporción de letras que es capaz de escribir correctamente el niño, etc. (fíjese en que hacemos hincapié en registrar las conductas positivas: resolver adecuadamente los ejercicios, controlar el pis, etc., y no en las negativas, que es lo que muchas veces, erróneamente, se hace; es mucho más motivador ir viendo cómo aumentan los progresos que cómo disminuyen los fracasos).

En ocasiones, se pueden registrar todas las veces que aparece una determinada conducta del niño; otras veces, la mayoría, eso no es posible. Algunas conductas se dan con muchísima frecuencia; por otro lado, hay conductas que es difícil decir cuándo empiezan o acaban. Para este tipo de conductas, podemos utilizar los registros de intervalos. Para ello, se divide el período diario de observación (en el caso de Juan, el tiempo que el niño permanece despierto, de 8 a 21 horas) en intervalos de tiempo iguales (por ejemplo, de media hora, de una hora, etc.). Al finalizar cada intervalo, se anota si la conducta ha aparecido o no durante éste (solamente anotamos si la conducta ha aparecido, no cuántas veces ha aparecido). Este tipo de registros puede ser muy útil y es mucho más cómodo de llevar a cabo que el registro de frecuencia; sin embargo, se pierde información, y mayor es la pérdida cuanto mayores sean los intervalos. Vamos a verlo con un ejemplo.

Roque, de 20 meses, rechina los dientes con mucha frecuencia. A su madre, además de resultarle el sonido muy desagradable, el pediatra le ha dicho que esta conducta de Roque puede ser perjudicial para su dentadura en el futuro, y que hay que eliminarla. La madre de Roque no puede pasarse todo el día, con el lápiz y el papel en la mano, detrás del niño para ver cuántas veces rechina los dientes, así que ha decidido utilizar un registro de intervalos de media hora. Para ello, prepara una hoja de papel para cada día y divide el tiempo en que Roque está despierto (dormido no lo hace nunca) en intervalos de media hora. Después, y como es un poco despistada, programa un despertador, reloj de pulsera o el reloj de la cocina, para que suene cada media hora. Cada vez que el reloj suena, la madre de Roque apunta si Roque ha rechinado o no los dientes en la media hora anterior, simplemente poniendo una señal (X) en la columna del «Sí» o del «No», respectivamente. Un ejemplo de estos registros es el registro 4.5 que se muestra en la página siguiente.

Según este registro, Roque habría rechinado los dientes en once de los veintidós intervalos de media hora registrados (y no habría realizado esta conducta en los otros once intervalos restantes). Si la madre de Roque hubiera decidido registrar en intervalos de una hora, el cuadro resultante habría sido distinto, como se muestra en el registro 4.6 de la página siguiente

Según este registro, la conducta se ha dado en nueve de los once intervalos y no se ha dado en dos. Si la madre de Ro-

Registro 4.5

Registro de intervalos de media hora

Día: martes, 29-5-94
Conducta: rechinar los dientes

Hora	Sí	No	Hora	Sí	No
9-9,30	X		14,30-15	X	
9,30-10		X	15-15,30	X	
10-10,30		X	15,30-16	X	
10,30-11	X		16-16,30		X
11-11,30		X	16,30-17	X	
11,30-12		X	17-17,30		X
12-12,30	X		17,30-18		X
12,30-13	X		18-18,30	X	
13-13,30	X		18,30-19		X
13,30-14		X	19-19,30	X	
14-14,30		X	19,30-20		X

Registro 4.6

Registro de intervalos de una hora

Día: martes, 29-5-94
Conducta: rechinar los dientes

Hora	Sí	No	Hora	Sí	No
9-10	X		14-15	X	
10-11	X		15-16	X	
11-12		X	16-17	X	
12-13	X		17-18		X
13-14	X		18-19	X	
			19-20	X	

que hubiera decidido tomar como intervalos la mañana y la tarde, el registro nos daría que la conducta se ha producido en dos intervalos, de dos posibles. Como se puede apreciar, cuanto mayor es la duración de los intervalos, mayor es la pérdida de información. Por tanto, deberemos establecer el número y la duración de los intervalos de modo que los resultados de la observación sean relevantes, pero, a la vez, sin que el proceso sea pesado de llevar a cabo por nuestra parte.

En otros casos, la conducta puede no ser de alta frecuencia, pero no podemos observar durante todo el día al niño (por ejemplo, porque no está en casa). Entonces, podemos optar por observar y registrar sólo en determinados momentos del día, o en determinados lugares. En cualquier caso, es importante que, si no va a registrar todas las conductas del niño, se decida de antemano cuándo y durante cuánto tiempo en cada ocasión se va a llevar a cabo el registro, y mantener esas condiciones día a día tan similares como sea posible. Por ejemplo, usted puede querer registrar la conducta de lloro de su hijo, pero en vez de registrar durante todo el día, va a registrar de ocho a nueve de la mañana, de tres a cuatro de la tarde y de ocho a nueve de la noche. En ese caso, todos los días deberá registrar durante las mismas horas y por el mismo tiempo, para que los datos tengan algún significado. Imaginemos que la madre de Juan ha hecho el registro siguiente:

Registro 4.7

Semana: 12-1/18-1
Conducta: llanto de Juan

	Lunes	Martes	Miérc.	Jueves	Viernes	Sábado	Domingo
Tiempo	60′	60′	90′	45′	90′	60′	60′
Lloros	15	12	18	9	10	12	10

¿Podríamos decir que Juan lloró menos el jueves y más el miércoles, según estos datos? Evidentemente, esto sería un error, porque no sólo varía la frecuencia de los lloros, sino también el tiempo que su madre dedica a observar a Juan. A veces, es muy difícil mantener estable el tiempo de observación. En esos casos, para que los datos digan algo con sentido, hay que obtener lo que se denomina *tasa de la conducta,* que no es más que el cociente de la frecuencia de la conducta dividido por el tiempo (en minutos, horas, etc.). El cuadro anterior tendrá más sentido si dividimos la frecuencia de los lloros entre el número de minutos de observación. En ese caso, el cuadro quedaría así:

Registro 4.8

Tasa de llantos por minuto

Semana: 12-1/18-1
Conducta: llanto de Juan

	Lunes	Martes	Miérc.	Jueves	Viernes	Sábado	Domingo
Tiempo	60′	60′	90′	45′	90′	60′	60′
Lloros	15/60 = 0,25	12/60 = 0,20	18/90 = 0,20	9/45 = 0,20	10/90 = 0,11	12/60 = 0,20	10/60 = 0,17

Según este cuadro, podríamos afirmar, ahora sí, que el día que más lloró Juan fue el lunes y el que menos, el viernes. El cuadro también lo podríamos haber hecho dividiendo la frecuencia de lloros por horas, en vez de por minutos. El registro, entonces, quedaría así:

Registro 4.9

Tasa de llantos por hora

Semana: 12-1/18-1
Conducta: llanto de Juan

	Lunes	Martes	Miérc.	Jueves	Viernes	Sábado	Domingo
Tiempo	60′	60′	90′	45′	90′	60′	60′
Lloros	15/1 = 15	12/1 = 12	18/1,5 = 12	9/0,75 = 12	10/1,5 = 6,6	12/1 = 12	10/1 = 10

Según este cuadro, como es lógico, también Juan lloró más el lunes y menos el viernes; sin embargo, los datos han variado respecto al cuadro anterior; por tanto, cada vez que halle la tasa de la conducta, es necesario expresar las medidas en que se da ésta: por ejemplo, el lunes Juan tiene una tasa de lloro de 0,25 lloros por minuto (primer cuadro) o de 15 lloros por hora (segundo cuadro).

Fijar unos momentos del día para observar puede ser una solución, si no se dispone del tiempo necesario para registrar todas las conductas del niño. Otra solución posible es utilizar el registro de intervalos, tal y cómo se ha explicado anteriormente.

4.3. Cómo hacer un gráfico

A medida que vamos obteniendo los datos, resulta útil ir trasladándolos a un gráfico que nos permita conocer, de un vistazo, cómo va evolucionando la conducta del niño. Para construir un gráfico, los datos deben representarse en un eje de coordenadas. Para ello, coja una hoja de papel y trace dos líneas perpendiculares entre sí; la primera de ellas paralela (y cercana) al borde izquierdo de la página (será el eje de ordenadas), y la segunda paralela (y cercana) al borde inferior de la página (será el eje de abscisas). En este eje vamos a dibujar una marca por cada momento de medida (generalmente días) y las numeraremos, empezando por el número 1, o bien pondremos el nombre o las iniciales de los días; en el eje de ordenadas (la línea vertical) haremos una marca que indique cantidades específicas de la característica de la conducta que hemos observado (frecuencia, duración, intensidad, proporción, lo que sea; lo que estamos poniendo en este eje es el número de veces que se hace la conducta, o los minutos que dura o el porcentaje de respuestas adecuadas, etcétera). Así, por ejemplo, en el primer caso del capítulo, pondríamos en el eje de ordenadas la cantidad total (en gramos) de alimento ingerido cada día; en el segundo, pondríamos las veces que se levanta cada noche el padre de Javier; en el tercer caso, deberíamos registrar minutos, los que tarda cada día Miguel en dormirse; en el cuarto caso, en el eje de ordenadas pondríamos números del 0 al 100, pues es entre estos valores que puede oscilar el porcentaje de órdenes cumplidas correctamente por Jorge, etc.).

En el gráfico de la figura 4.1 se muestra el ejemplo de Juan (utilizaremos la tasa de conducta de lloros por hora).

Para hallarlo, hemos hecho lo siguiente: hemos levantado, cada día, una paralela al eje de ordenadas, y hemos trazado una paralela al eje de abscisas en el número que indica la tasa de lloros que tuvo Juan ese día en concreto (por ejemplo, el lunes, la línea se ha trazado al lado del 15, porque Juan tuvo una tasa de llanto de 15 lloros por hora; el martes, al lado del 12, etc.). Luego se remarca bien el punto de intersección entre la línea del día y la de los lloros. Por último, se unen con una línea esos puntos marcados.

Para comprobar que ha comprendido el procedimiento, halle el gráfico que tendría que realizar la madre de Miguel

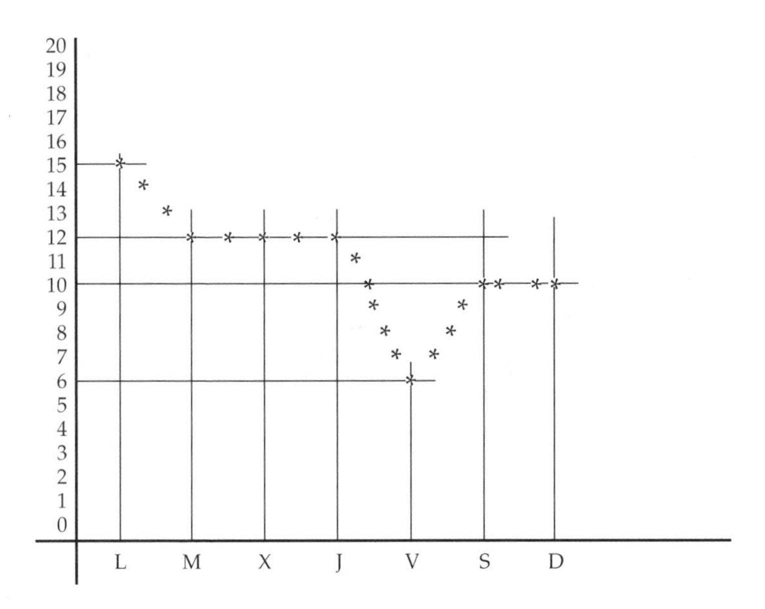

Figura 4.1.—Gráfica del llanto de Juan (tasa por hora).

(tiempo que tarda en dormirse el niño cada día). Puede encontrar este gráfico en la figura 4.2 y verificar si lo hizo correctamente.

Resumen

Antes de intervenir para cambiar las conductas inadecuadas de los niños es necesario definir éstas de forma clara, precisa y cuantificable; de esa manera, podremos observarlas y registrarlas. Ello nos va a permitir conocer con exactitud cuál es la conducta del niño que queremos cambiar y cómo se produce ésta (en que circunstancias, con qué frecuencia, cuánto tiempo dura, etc.). Dependiendo de las características de la conducta sobre la que se va a intervenir, se utilizará uno u otro tipo de registro. Los de uso más habitual son los registros de frecuencia, intervalos, duración y proporción, explicados en el capítulo. La observación y el registro de las conductas debe realizarse antes, durante y después de la intervención. De ese modo, podemos conocer cuáles son los efectos de las estrategias utilizadas para modificar las conductas inadecuadas, si esas estrategias son suficientes o si, por el contrario, debemos cambiarlas o suspender la intervención. Por otro lado, el registro continuado permite la percepción de pequeños cambios que, de otro modo, podrían pasar inadvertidos.

Por último, es conveniente pasar los datos de los registros a un gráfico. Así, podemos observar, de un simple vistazo, la evolución de la conducta sobre la que se está interviniendo, y ver los progresos que se van logrando.

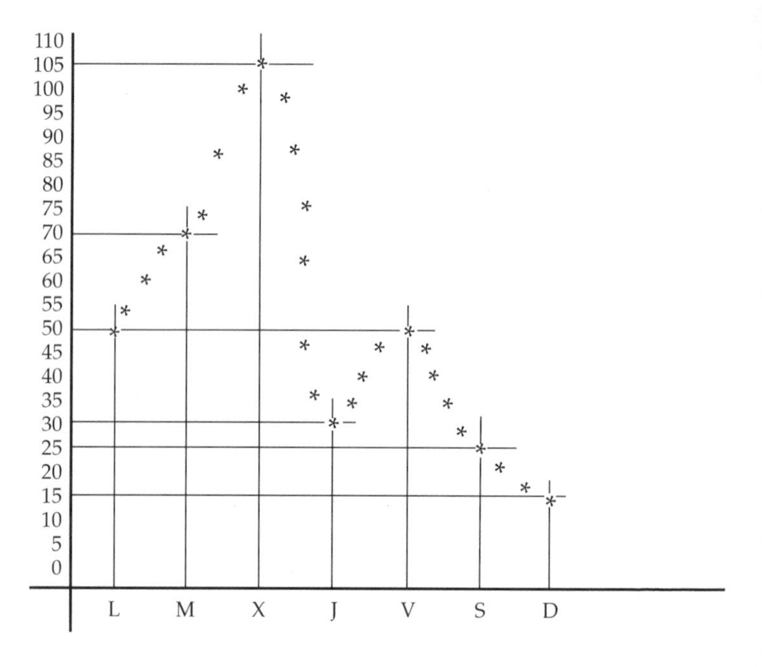

Figura 4.2.—Tiempo que tarda Miguel en dormir.

5

¿Qué puedo hacer con mi hijo?: cómo actuar ante problemas concretos

En los capítulos anteriores se ha explicado cómo, en ocasiones, el comportamiento de los adultos contribuye a que los niños mantengan sus conductas desadaptativas. También se han explicado los principios de reforzamiento y las técnicas más habituales. En este capítulo vamos a ver cómo pueden aplicarse estas técnicas para controlar determinadas conductas.

Es obligado en este capítulo hacer referencia al trabajo de Forehand y McMahon (1981). Estos autores desarrollaron un programa para padres de niños pequeños (de 3 a 8 años) con conductas de oposición. El programa, basado en los principios del aprendizaje social, ha sentado las bases de numerosas investigaciones e intervenciones en la modificación del negativismo y las conductas de oposición. El programa consta de dos fases: en la primera, se enseña a los padres a reforzar determinadas conductas de los niños e ignorar otras, de forma adecuada; en la segunda fase, los padres aprenden a dar órdenes/instrucciones de manera apropiada y se entrenan en las técnicas de tiempo fuera (o aislamiento) y, en ocasiones, de costo de respuesta, como procedimientos para reducir las conductas de los niños. Para mayor información sobre este programa, consultar la bibliografía.

5.1. Cómo se deben dar las órdenes

En primer lugar, hay unas reglas muy sencillas que pueden aplicarse a todos los casos, y siempre hay que procurar respetarlas, porque numerosos estudios (como los de Dumas y

Lechowicz, 1989; Sloane et al., 1990; Megharg y Lipscker, 1991; Doll y Kratochwill, 1992) demuestran que facilitan enormemente el cumplimiento de las órdenes por parte de los niños. Estas reglas se refieren a cómo deben darse las órdenes/instrucciones/peticiones por parte de los padres. Estas instrucciones deben:

— Ser claras y específicas.
— Ser comprensibles para los niños (estar expresadas en un lenguaje adecuado y con términos conocidos por ellos).
— Ser cortas.
— No entrar en contradicción con otras.
— Ser un número reducido (en algunos estudios se han encontrado que los padres daban al hijo una media de ¡117 instrucciones por hora!).
— Deben darse de una en una y suficientemente espaciadas en el tiempo (no se debe dar una cadena de instrucciones o peticiones).
— No deben ir acompañadas de contacto físico instigador (la instigación física ha demostrado ser un gran potenciador del incumplimiento por parte de los niños).

A veces, los padres dan órdenes confusas, excesivamente largas, que no quedan claras para los niños, que son contradictorias entre sí o que se suceden muy rápidamente. Este tipo de instrucciones favorece la «ignorancia» por parte del niño (el niño «pasa» de las órdenes y hace como si no hubiera oído). Por el contrario, las imperativas y, sobre todo, las que van acompañadas de contacto físico instigador o amenazante (coger al niño por los brazos o los hombros y sacudirle, por ejemplo) provocan en el niño reacciones de oposición activa (como las rabietas). Por último, las órdenes claras, cortas, específicas y razonadas facilitan su cumplimiento por parte de los niños.

A la hora de hacer peticiones debe tenerse en cuenta el estado evolutivo del niño. Los niños son capaces de obedecer órdenes sencillas a partir de los 18 meses; sin embargo, la evolución, en este punto, no es constante, sino que se sucede con cambios bruscos (Schneider-Rosen y Wenz-Gross, 1990). Así, a los 24 meses, los niños experimentan un importante incremento en su capacidad para cumplir órdenes, que ya pueden ser más complejas y que se mantiene estable hasta los 30-36 meses. Es también en este período cuando comienzan las conductas de oposición, popularmente conocidas como «rabietas de los dos años». La forma de manejar estas situaciones por parte del adulto va a facilitar la consolidación de las conductas de oposición del niño, o bien, por el contrario, va a hacerlas menos frecuentes.

Una vez establecidos unos principios generales, vamos a ver qué puede hacerse en cada caso concreto.

5.2. El niño «sordo»

Jaime (6 años) nunca parece oír a la primera. Su madre se desespera porque, aunque al final obedece, siempre tiene que repetirle las órdenes tres o cuatro veces antes de que el niño las cumpla. El proceso que suele seguirse es el siguiente: Juana, la madre, pide cualquier cosa (recoge tu ropa y llévala a la lavadora; recoge los juguetes y mételos en el baúl, etc.); Jaime no contesta y sigue con lo que estaba haciendo; la madre repite la instrucción en voz más alta y espera unos segundos a ver si Jaime la cumple. Al no hacerlo, se dirige de nuevo a él, en tono imperativo, exigiendo el cumplimiento de la orden y amenazando con algún castigo. Es posible que a estas alturas, Jaime musite un tibio «sí» o «ya voy», pero su madre ya está enfadada y sigue chillándole hasta que hace lo que se le ha pedido e, incluso, durante varios minutos después.

Si analizamos la situación en términos de conductas aprendidas, reforzamiento, etc., veremos que Jaime está realizando una actividad placentera para él (jugar, ver la tele, etc.) cuando su madre le pide que realice una actividad no placentera y competitiva con la anterior (ambas no pueden llevarse a cabo a la vez). Jaime, evidentemente, prefiere seguir con aquella actividad que le proporciona un refuerzo más inmediato (ver la tele), en vez de realizar una que no le proporciona refuerzo de ningún tipo, por lo que ignora las repetidas peticiones de su madre. Juana, como está enfadada, utiliza un tono cada vez más imperativo y amenazador, que, como ya se ha comentado, favorece las conductas de oposición y de ignorancia por parte del niño. Es la presencia inminente del castigo lo que hace que Jaime cumpla la tarea encomendada. Ahora bien, las conductas mantenidas por evitación/escape de un castigo son poco resistentes a la extinción (desaparecen muy pronto y no se consolidan), sobre todo si el castigo no se llega a cumplir en algunas ocasiones (por ejemplo, si Juana ha amenazado con un castigo y luego no lo ha llevado a cabo, aunque Jaime no haya hecho lo que se pedía). Por otro lado, Jaime, mientras realiza la tarea, está perdiendo el reforzamiento que le proporcionaba la otra actividad. Además, Juana sigue chillándole incluso después de haber cumplido la orden, es decir, Jaime no recibe ningún tipo de reforzamiento por seguir las instrucciones. Desde una perspectiva conductual es fácil predecir que, en situaciones futuras, las conductas de Jaime de atender las órdenes de su madre se darán con poca o nula frecuencia. Asimismo, es fácil explicar la conducta de Juana en términos de reforzamiento: a la conducta de pedir las cosas de manera adecuada, no sigue ningún reforzamiento (Jaime no hace nada); sin embargo, cuando Juana chilla y amenaza, Jaime cumple lo que se le pide. La conducta de chillar de Juana es, por tanto, reforzada y tenderá a darse cada vez con mayor frecuencia y cada vez antes en el proceso que hemos visto. Seguramente es sólo la buena educación de Juana lo que impide que chille a Jaime desde el principio.

¿Qué puede hacer Juana? Se proponen dos posibles alternativas, basadas, respectivamente, en programas de reforzamiento y en la técnica de costo de respuesta. Estas alternativas pueden también utilizarse de forma complementaria. Ambas se han mostrado útiles para corregir este tipo de conductas (Pelechano, 1980; Barkley, 1987; Little y Kelly, 1989; Ducharme y Popynick, 1993).

Para el programa de reforzamiento, Juana debería actuar como sigue:

— Como hemos comentado, utilizar instrucciones cortas, claras y específicas. Hablar delante del niño (no pedírselo a gritos desde otra habitación). Establecer claramente las condiciones (si recoges los juguetes, te daré una pegatina de Aladino). Si después del tiempo establecido, Jaime no ha obedecido, ignorarlo (pero no realizar su tarea por él). Dejar pasar un tiempo y dar de nuevo las instrucciones.

— Comenzar haciendo peticiones de acciones que llevan implícito un reforzamiento natural (por ejemplo, pedirle que escoja un libro y lo lleve al salón, y allí, leerle un cuento; pedir que ponga su servicio en la mesa y llenárselo de su comida preferida, etc.). En cuanto Jaime coopere, Juana debe alabarlo, besarlo y/o acariciarlo, justo antes de darle la recompensa natural (el cuento, la comida).

— Se debe tener cuidado, en estos primeros momentos, de hacer las peticiones cuando no se interfieran actividades placenteras del niño, que le dan mucho reforzamiento (si no, posiblemente, no atenderá a las demandas).

— Además de los refuerzos sociales (elogios, besos y abrazos) y de los naturales (cuento, comida, etc.) se pueden incluir otros reforzadores (puntos o fichas intercambiables, chucherías, etc.), sobre todo para fomentar el cumplimiento de peticiones menos apetecibles para el niño. Asimismo, Juana puede enseñar y ayudar a Jaime, al principio, a cumplir determinadas órdenes (como poner la mesa o doblar la ropa), alabándole por cada paso que haga.

— Incrementar poco a poco las peticiones, tanto por lo que se refiere a su número, complejidad, tedio, interferencia con conductas autorreforzantes, etc. Siempre que sea posible, Juana emparejará el cumplimiento de las peticiones con esas conductas autorreforzantes (por ejemplo, procurará pedirle a Jaime que doble su ropa antes de que empiecen los dibujos animados y le dirá: «En cuanto acabes de doblar tu ropa pondremos la tele y podrás ver los dibujos»). Es importante prometer la recompensa antes de la petición y en cuanto Jaime obedece, dársela. También es importante que Juana recompense a Jaime cada vez que éste coopera.

— Se favorece el aprendizaje si se establece una rutina (por ejemplo, Jaime siempre tiene que doblar su ropa antes de los dibujos, o recoger los juguetes justo antes del baño).

— A medida que Jaime aprende a obedecer a la primera, se puede ir dejando de reforzar *todas* las cooperaciones y empezar a reforzar de forma esporádica (una de cada dos o tres peticiones atendidas; luego una de cada cinco o seis y así hasta que no haga falta reforzar más que de cuando en cuando. Una advertencia: si Jaime empezara a desobedecer de nuevo, hay que volver a reforzar con mayor frecuencia).

— Juana debe tener paciencia: a veces, el procedimiento es lento; el llevar un registro puede servirle para advertir cambios que, de otro modo, serían imperceptibles.

La segunda alternativa consiste en un programa de costo de respuesta, que se lleva a cabo según el procedimiento descrito en el capítulo 2, y que preferiblemente, se combinará con refuerzo de conductas adecuadas de cooperación y/u obediencia. La particularidad aquí es que cada día se le da al niño una cantidad determinada de puntos o fichas que se equiparan a los reforzadores habituales de que dispone el niño (por ejemplo, ver los dibujos animados son 4 puntos; media hora de bicicleta, 5 puntos, etc.). De este total, se van retirando pequeñas cantidades a medida que se suceden las órdenes no cumplidas, teniendo siempre en cuenta que el niño no puede tener «deudas» (es decir, la cantidad máxima que se retira en cada período debe coincidir con la que se da). Antes de comenzar un procedimiento como éste, Jaime y Juana deben establecer las condiciones: las peticiones que deben atenderse, su número, la cantidad de refuerzo perdido por no atenderlas, etc. Un acuerdo de este tipo favorece, no sólo el incremento de la obediencia de Jaime, sino también la mejora de las relaciones entre madre e hijo (Little y Kelly, 1989). Veamos un ejemplo de cómo funcionaría el programa. Jaime obtiene todas las mañanas y todas las tardes 4 puntos, que, al final de cada período, puede intercambiar por los reforzadores acordados o acumular para su cambio posterior por un reforzador mayor (una tarde en el cine). Juana y Jaime acuerdan que el primero debe atender las peticiones de su madre de: ayudar a poner la mesa (mañana y tarde), hacer su cama (mañana) y recoger sus juguetes (tarde). Juana dará la orden pertinente (asegurándose de que Jaime la ha oído) y esperará 3 minutos, sin repetirla. Jaime podrá mantener sus puntos si en ese lapso de tiempo empieza a cumplirla; si no, su madre le retirará un punto y volverá a darle la orden. Si, de nuevo, ésta no se cumple en el plazo establecido, Jaime perderá otro punto. Juana no volverá a darle la orden ni, de ninguna manera, hará la tarea de Jaime.

5.3. El niño que siempre dice «no»

Si el niño «sordo» se opone de forma pasiva a las peticiones de los adultos, el negativista (el que dice que «no» a todo) muestra una oposición activa no agresiva. Muchas veces, el negativismo es una forma segura de llamar y mantener la atención de los otros sobre uno mismo (haga la prueba: en una reunión, exprese su desacuerdo con lo que las demás personas comenten; verá que pronto se vuelven todos a hablar con usted). En muchos casos, pues, el niño ha aprendido a que sólo o fundamentalmente se le presta atención cuando rehúsa obedecer, cooperar o estar de acuerdo (Pelechano, 1980). También ha podido aprender a negarse a cooperar y a obedecer las órdenes, porque así obtiene otros privilegios (no realizar tareas que le disgustan, por ejemplo). Algo así es lo que le pasa a Luis (6 años): desde muy pequeño ha aprendido que puede comer sólo lo que le gusta y hacer, casi en todo momento, las cosas que le apetecen. Se ha dado cuenta de que sólo es cuestión de ser más perseverante en su conducta (negativismo) que los mayores. De este modo, su madre ha aprendido a no servirle espinacas (siempre acababa por tirarlas a la basura, porque, por más que hacía, Luis no probaba bocado) y su padre ha dejado de pedirle que haga pequeños recados. Sin embargo, ambos progenitores coinciden en que la situación no puede prolongarse. ¿Qué pueden hacer?

En primer lugar, deberán debilitar las respuestas negativas (los «noes» y expresiones de desacuerdo) de Luis. Quizá adviertan que cuando Luis se niega a algo, le prestan mucha atención. En ese caso, deberán establecer un programa de extinción (dejar de prestar atención a esas conductas), tal y como se expone en el capítulo 2. Pero, además, deben debilitar también las conductas no cooperativas. La mejor manera es reforzando las respuestas competitivas de cooperación. Para ello, se puede utilizar el programa de reforzamiento explicado anteriormente. Como Luis (al contrario que Jaime) nunca ha cooperado, sus padres tendrán que empezar por conductas muy sencillas: por ejemplo, con los platos apilados sobre la mesa, la madre puede pedirle que coloque su plato en su sitio. Quizá Luis sólo le eche un vistazo al plato, sin tocarlo; la madre refuerza ese pequeñísimo acercamiento («Bueno, al menos lo has mirado» y le da dos o tres almendras). En ocasiones siguientes, la madre (o el padre) van reforzando de forma similar las conductas de acercamiento de Luis (dirigirse a la mesa, tocar el plato, cogerlo, situarlo en el lugar adecuado). Dado que se van a dispensar muchas veces los reforzadores, conviene cambiarlos a menudo, para evitar que el niño se aburra o se harte de ellos. También es conveniente que el niño pueda acceder a reforzadores «especiales», que se dispensen a más largo plazo (una tarde en el zoo, o en el cine, etc.). Para obtener este tipo de privilegios, puede acumular puntos que se le dan por cada una de las conductas cooperativas que muestre; así, por ejemplo, una tarde en el zoo puede valer 30 puntos y el niño puede obtener un punto por cada conducta adecuada. Este procedimiento se denomina economía de fichas. Poco a poco (el proceso es lento, y seguramente, al principio, la conducta negativista de Luis se agravará, como ya se explicó al comentar la extinción en el capítulo 2) las conductas cooperativas de Luis se van estableciendo y los padres pueden ir retirando el programa (aunque siguen sin prestar atención a las conductas negativistas de Luis). Si el programa de extinción no funcionara y Luis siguiera quejándose y diciendo «no» a todo, los padres podrían decidirse a utilizar un procedimiento de costo de respuesta aplicado a esa conducta, y que se llevaría a cabo de la forma que se explicó en el epígrafe anterior.

5.4. El niño de las rabietas

Las rabietas son expresiones agresivas de desacuerdo que algunos niños utilizan frecuentemente. Las rabietas son un fenómeno normal en un determinado estadio evolutivo del niño (alrededor de los 2-3 años) y van desapareciendo a medida que el niño crece, de modo que a los 5 ó 6 años prácticamente han desaparecido del repertorio conductual del niño, a menos que el pequeño haya aprendido que tener rabietas es una manera rápida y eficaz para lograr sus propósitos. Algo así le ha pasado a Paula (4 años). Paula se ha criado prácticamente con su abuela, que ya está algo mayor y se cansa rápidamente. Desde muy pequeña, Paula aprendió que sus lloros servían para que su abuela acudiera solícita a satisfacer cualquiera de sus deseos. A medida que crecía advirtió que, si las expresaba verbalmente, no todas sus peticiones eran atendidas. Aprendió también que cuando se tiraba al suelo a llorar, su abuela (y a estas alturas, también sus padres), acababan accediendo, pero que si chillaba, pataleaba o golpeaba las paredes y las puertas, su abuela se «rendía» antes. Paula había aprendido que una buena rabieta era muy útil para conseguir lo que quería, de modo que esta conducta empezó a hacerse muy frecuente. Los padres y a abuela, por su parte, también han aprendido que, en cuanto se le da lo que quiere, Paula se calla. Para ellos, esto es un alivio (refuerzo negativo), por lo que cada vez acaban «cediendo» antes. Comprenden que, a largo plazo, esto sólo sirve para perpetuar la situación, pero, en esos momentos, consiguen un poco de paz y tranquilidad, o que todo el mundo en el supermercado deje de mirarles a ellos y a la niña.

Aunque el objetivo a largo plazo puede ser que Paula obedezca, lo primero que sus padres quieren es que deje de tener rabietas. Para ello, deben empezar por debilitar la fuerte asociación que se ha establecido entre las conductas de la rabieta (llorar, gritar, patalear, etc.) y las consecuencias positivas de éstas (obtener lo que se quiere). Además, deberán enseñarle a Paula que las consecuencias de las rabietas van a ser ahora negativas para ella. Generalmente, el establecer estas nuevas condiciones no sirve de mucho, si los padres no las cumplen exacta y continuamente, por lo que se hace énfasis en la necesidad de su cumplimiento estricto. El procedimiento de aislamiento o Tiempo Fuera (TF, a partir de ahora) se ha mostrado muy efectivo en la reducción de este tipo de conductas.

Los padres y la abuela deben utilizar este procedimiento *cada vez* que aparece una rabieta. Consiste en aislar a la niña en un lugar seguro, pero en el que no pueda entretenerse (por ejemplo, en una esquina del recibidor o del pasillo, de cara a la pared; en un cuarto de baño en que no pueda manipular grifos; en una habitación poco atractiva) y dejarla allí sola durante un período de entre 3 y 5 minutos. Si la rabieta continua, la dejarán allí unos minutos más. En ningún caso la sacarán antes de pasados 15 segundos en silencio. Ante las primeras señales de que la rabieta va a producirse, pueden advertirle: «Si tienes una rabieta, te llevaré al aislamiento», pero no le harán ningún comentario mientras la llevan o traen de la zona de TF. Si Paula estuviera muy alterada, su zona de aislamiento puede ser la cama. Si la rabieta aparece en la calle, inmediatamente buscarán un rincón que pueda servir de zona de TF. Si no la hay, deberán aguantar estoicamente a que pase la rabieta (aunque sea bochornoso para ellos), sin prestar a Paula la más mínima atención. Por supuesto, bajo ninguna circunstancia le darán a Paula nada de lo que pida con una rabieta. Sin embargo, sí es conveniente que atiendan a las peticiones que hace de forma adecuada (le estarán así reforzando esta conducta, que es incompatible con la rabieta). También lo es que, si durante un período continuado no se ha producido ninguna rabieta, refuercen a Paula por ello, tanto social (con alabanzas, mimos o caricias) como materialmente («como estás pidiendo las cosas bien y no con rabietas, voy a comprarte una bolsa de pipas»).

Es necesario recordar que, antes de empezar a aplicar cualquiera de las técnicas, se ha de establecer la línea base de la conducta (el punto de partida), mediante la observación y el registro de las conductas que se desean cambiar. Y una vez que se establece el procedimiento escogido, se ha de ser perseverante en su práctica. Sólo así conseguiremos que éste sea eficaz.

Resumen

A lo largo del capítulo se ha expuesto una serie de acercamientos a los tipos más frecuentes de conductas de oposición que los niños muestran. Evidentemente, el objetivo no es hacer un «recetario», sino orientar a padres, tutores, maestros, etc., en el manejo de algunas situaciones, para reducir o incrementar determinadas conductas, tanto suyas como de los niños, que están entorpeciendo las relaciones entre ambos.

Han quedado establecidas las reglas para hacer peticiones o dar instrucciones u órdenes: éstas deben ser cortas, claras, no entrar en contradicción unas con otras, deben darse pocas órdenes y debemos asegurarnos de que el niño nos oye. También, al menos al principio, deberemos escoger, para el cumplimiento de las peticiones, momentos que no interfieran con la actividad placentera que desarrolla el niño.

Se han explicado las distintas intervenciones que pueden llevarse a cabo en función del patrón de conducta del niño: para el niño «sordo» se propone una intervención que combina programas de reforzamiento y de costo de respuesta; para el niño que muestra una oposición activa, se propone un programa de extinción de las conductas de oposición y un programa de reforzamiento o de economía de fichas para incrementar las conductas cooperativas; para el niño que tiene frecuentes rabietas, se propone un programa que combina la técnica del aislamiento o tiempo fuera, con el reforzamiento de las conductas de cooperación. Se hace hincapié en la necesidad de mantener un programa el tiempo suficiente como para que pueda mostrar su eficacia, y en la importancia de establecer registros de las conductas antes, durante y después de la intervención.

6

A pesar de todo, desobedece

Es posible que haya seguido cuidadosamente los consejos que se ofrecen en este libro y que, sin embargo, las cosas no parezcan ir mejor. No se desespere ni tire la toalla. No crea que es incapaz de seguir el programa o que éste no funciona, concédase una oportunidad. A continuación se dan algunas recomendaciones útiles para llevar a cabo los programas con mayor éxito.

6.1. La importancia de la constancia

La primera regla de oro que hay que tener en cuenta es la de la perseverancia. Cambiar conductas no es fácil. Si, además, esas conductas son hábitos establecidos desde hace tiempo, el cambio conductual será más difícil aún. Generalmente, estas conductas han estado sometidas a castigos y refuerzos intermitentes, que las han hecho muy resistentes al cambio, por lo que se necesita tiempo para que los programas demuestren su efectividad. Por otro lado, poner en marcha las técnicas del cambio conductual va a suponer una carga extra de trabajo y esfuerzo para quien las lleva a cabo, sobre todo al principio, y esto, a veces, desanima a algunas personas. Sin embargo, la eficacia de estas técnicas en casos similares debe ser una razón de peso para decidirse a probarlas y a mantenerlas durante un tiempo. Si es así, deberá saber, de antemano, que ha de armarse de paciencia y que debe perseverar durante el tiempo necesario en la práctica de las técticas escogidas. Eso significa que si ha decidido ignorar las rabietas de su hijo, deberá ignorarlas todas y cada una de las veces que se produzcan. Si ha decidido reforzar las conductas de cooperación, el refuerzo, por lo menos al principio, deberá ser constante o muy frecuente. Si el costo de respuesta ha sido el procedimiento elegido, deberá aplicarlo cada vez que un requerimiento suyo no sea atendido. Si ha decidido que las conductas de oposición de su hijo pueden controlarse con la técnica de aislamiento o tiempo fuera, se aislará al niño cada vez que muestre este tipo de comportamientos. Quizá consiga resultados apreciables en unos pocos días o quizá se requieran semanas de ignorar las rabietas del niño o de buscar actividades, golosinas, halagos o juguetes que puedan servir de reforzadores. Sin embargo, seguramente advertirá pequeños cambios o mejoras en las conductas de sus hijos; cambios que serán más apreciables si realiza un registro tal y como se indicaba en el capítulo 4. La apreciación de estos cambios suele ser un magnífico estímulo para que padres, maestros, tutores y psicólogos sigan adelante con el programa. En cualquier caso, recuerde: es imprescindible mantener el programa elegido el tiempo suficiente para que se produzcan cambios, y, en ningún caso, esperar milagrosas permutas de la noche a la mañana.

6.2. Algunos consejos para facilitar el cambio

A lo largo del libro se ha explicado qué es un refuerzo, qué es un castigo, qué técnicas de reducción de conductas (como la ignorancia o el aislamiento) son útiles para controlar estas conductas inadecuadas y cómo llevarlas a cabo. A continuación se ofrecen algunos consejos que facilitan su puesta en práctica. Algunos ya se comentaron en su momento, pero, por su importancia, vale la pena recordarlos. Otros son nuevos. Estos consejos son los siguientes:

— *Refuerce siempre las conductas adecuadas de los niños.* Ya sea como única técnica o en conjunto con procedimientos de reducción de comportamientos indeseables, siempre hay que reforzar las conductas de colaboración y obediencia. De ese modo, estamos enseñando qué es lo que se debe hacer, cómo y cuándo (y no meramente indicando qué es lo que no debe hacerse) y estamos posibilitando que estas conductas se repitan. Por otro lado, el intercambio de refuerzos (el que el niño coopere es un refuerzo para usted) es una experiencia sumamente agradable y muy eficaz para mejorar relaciones que, a veces, pueden estar muy deterioradas.

— *Determine de antemano el momento de comienzo de la intervención.* Ya sabe que tratar de modificar las conductas del niño supone un esfuerzo extra para quien acomete esta labor. Por tanto, escoja el momento adecuado para iniciarlo: aproveche cuando no tenga sobrecarga de trabajo o esté muy tenso por otras razones. El disponer de tiempo y tranquilidad es una ventaja considerable que no debe desdeñarse.

— *Comience con conductas que pueda modificar fácilmente.* Conductas que hayan aparecido hace poco tiempo, que se produzcan pocas veces o en circunstancias especiales pueden ser candidatas para probar con ellas los procedimientos explicados. Con este tipo de conductas es más fácil lograr cambios que con otras que ya se han convertido en hábitos. Los resultados son un potente incentivo para seguir trabajando con conductas más problemáticas.

— *Asegúrese de que las contingencias son siempre las mismas.* Si ha decidido castigar una conducta, castíguela siempre; si ha decidido reforzarla, refuércela siempre: no permita que su estado de humor, sus ocupaciones, etc., interfieran con el procedimiento de intervención.

— *Facilite las condiciones de la cooperación.* Si desea que su hijo recoja la ropa, pídaselo antes de que comiencen los dibujos animados, no cuando ya los está viendo. Lleve uno o dos juguetes al restaurante para que María no se aburra y se pase la comida quejándose. Establezca las condiciones que facilitan que el niño coopere o cumpla las instrucciones que se le dan. Prevea las dificultades que puedan plantearse y trate de solventarlas de antemano.

— *Establezca una rutina.* La mayoría de las rutinas son medios rápidos y útiles para que los niños aprendan y dominen determinadas conductas. Proporcionan un ambiente ordenado, seguro y confortable, ayudando al niño a conseguir más cosas con menos esfuerzos. Si desea aumentar las conductas de cooperación de los niños, haga que éstas se desarrollen de forma rutinaria. De este modo conseguirá que lleguen a convertirse en un hábito, como vestirse o lavarse.

— *Dé instrucciones cortas, claras y espaciadas.* Es imprescindible que las peticiones que se hacen sean específicas y claras (por ejemplo, que indiquen qué se debe hacer, cómo y cuando) y, por supuesto, comprensibles para los niños. Se debe dejar transcurrir un tiempo prudencial antes de repetir la petición o de darle un aviso acerca de las contingencias negativas que pueden ocurrir si no se cumple la orden. También debe evitarse dar un número muy alto de instrucciones, darlas muy seguidas o que éstas sean contradictorias entre sí. Por último, debemos cerciorarnos de que la petición ha sido oída y entendida (no vale chillarle a Juan desde la terraza que se meta en la bañera).

— *Conserve el buen humor y controle su ira.* No siempre es fácil y, posiblemente, más de una vez se sentirá tentado a chillar y dar un azote al niño desobediente. Sin embargo, recuerde lo perjudicial que eso puede ser: a fin de cuentas, los padres somos modelos para nuestros hijos y, al actuar así, estaríamos enseñándoles comportamientos agresivos que de ninguna manera queremos que ellos den. Por otro lado, las conductas de ira estarán cambiando las contingencias establecidas, lo que interfiere con la intervención y le resta efectividad.

— *No culpabilice al niño.* Recuerde que todas las conductas aparecen y se mantienen en un contexto determinado, en función de sus antecedentes y, sobre todo, de sus consecuencias, y que de esas consecuencias también es usted responsable. Olvídese de frases como: «Vas a acabar conmigo», «No te puedo aguantar más», «Me vas a matar a disgustos», etc. El niño no va a obedecer o cooperar más por oírlas y hacen que ambos perciban la situación peor de lo que realmente es.

— *Instruya al resto de las personas significativas para el niño respecto de la intervención.* Ya se ha comentado el potente reforzador que es la atención para determinadas conductas. Ahora bien, no somos los únicos dis pensadores de atención: los abuelos, los amigos, los primos, pueden estar reforzando con su atención, sin saberlo, las conductas que deseamos eliminar. En ese caso, es importante que les explique el procedimiento de intervención que está implementando y les instruya acerca de cómo deben comportarse ante las conductas indeseables del niño. De ese modo, no interferirán con el procedimiento, sino que lo favorecerán. También pueden ayudar si refuerzan con halagos y sonrisas las conductas adecuadas que se quieren instaurar.

6.3. Y ahora, ¿qué puedo hacer?

La mayoría de los problemas de desobediencia pueden resolverse siguiendo los consejos ofrecidos en este libro. Sin embargo, hay algunos casos en los que los padres, maestros, tutores, etc., no parecen encontrar solución. Quizá, las relaciones entre adultos-niño están muy deterioradas, quizá las conductas de los niños superan el oposicionismo y comienzan a presentarse como trastornos de conducta más graves, o quizá, simplemente, los adultos responsables no disponen del tiempo necesario o no pueden hacer el esfuerzo para dirigir ellos solos el cambio conductual.

Si su caso es alguno de éstos, o si en un tiempo prudencial (tres o cuatro semanas) de poner en práctica los procedimientos descritos no ha conseguido cambios significativos, nuestro consejo es que ponga su caso en manos de un psicólogo. No se desespere. No piense que lo ha hecho mal o que ha fracasado. Simplemente, algunas veces cuesta más cambiar una conducta que otras y, a fin de cuentas, los profesionales están ahí para ayudar. Igual que en ocasiones puede controlar un resfriado sin ir al médico y otras veces no tiene más remedio que ir, en ocasiones las conductas pueden cambiarse siguiendo unos sencillos consejos y otras veces se necesita recurrir a un experto en la materia.

Si este libro le ha servido de ayuda, enhorabuena. Si necesita acudir a un profesional, no dude en hacerlo. Pero, en cualquier caso, esté seguro, por el interés que está demostrando, de que el primer paso para solucionar el problema lo ha dado ya.

Resumen

En el capítulo se ofrece una serie de consejos que facilitan la implantación de los programas de intervención propuestos. Estos consejos son los siguientes: tener constancia y paciencia, determinar de antemano el momento de comienzo de la intervención, comenzar con conductas que se puedan modificar fácilmente, asegurarse de que las contingencias son siempre las mismas, facilitar las condiciones para la cooperación del niño, establecer una rutina, utilizar instrucciones cortas, claras y espaciadas, conservar el buen humor y controlar la ira, no culpabilizar al niño, instruir al resto de personas significativas para el niño respecto de la intervención. Y si cree que no dispone del tiempo y la energía suficientes como para llevar a cabo la intervención, consultar con un psicólogo especializado.

7

Un caso clínico

7.1. Descripción del caso y quejas que presenta

Carlos tiene 7 años, es hijo único, de padres jóvenes. Sus padres acuden a consulta preocupados por la conducta de Carlos. Se quejan de que es terriblemente desobediente, hay que repetirle muchas veces las órdenes para que haga caso, y aún así no siempre se consigue. Según el padre, Carlos nunca o casi nunca obedece. Cuando se le da una orden se la repiten varias veces, intentan explicarle por qué debe cumplirla, y Carlos a veces la cumple y la mayor parte de las veces, no. Por ejemplo, el padre comenta que ya la hora del desayuno es una batalla campal, porque Carlos se niega a tomarse el desayuno o tarda muchísimo tiempo en hacerlo; últimamente también la hora de irse a la cama se ha convertido en un auténtico suplicio, porque no consiente en irse a dormir solo. De modo que los padres pueden optar por permanecer con él en su cuarto (hasta que se queda dormido) o permitirle que se duerma en el salón y luego llevarle a su cuarto dormido.

Además, se quejan de que hace muchas «travesuras». Por ejemplo, tira cosas por la ventana, desarma objetos, en el pueblo del padre un día soltó todas las gallinas de los corrales, cuando sale de compras con los padres y entra en una tienda no para quieto, lo toca todo, lo tira todo, hasta que el vendedor les acaba llamando la atención, etc.

La profesora del colegio les ha dicho que «nunca ha visto nada igual». Aunque trabaja bien y no plantea problemas de rendimiento, sin embargo está constantemente castigado, porque su *hobby* es hacer lo que está prohibido.

Por otro lado, Carlos es un niño sociable, que hace fácilmente amigos. Además, como ya se ha señalado, su rendimiento en el colegio es muy bueno, y está aprendiendo a tocar el violín. Sus padres le definen como un niño muy cariñoso. Ambos padres dicen tener una buena relación con él.

7.2. Historia

Según los padres, la conducta de Carlos ha sido siempre así. Desde muy pequeño desobedecía y hacía gran cantidad de trastadas. Ellos pensaban que esto iría poco a poco desapareciendo; sin embargo, han visto que no es así y les da miedo que Carlos presente algún trastorno patológico grave.

La relación entre los padres es conflictiva desde hace bastante tiempo. Han pensado varias veces en separarse y discuten a menudo delante del niño, entre otras cosas, porque mantienen diferentes opiniones respecto a muchos aspectos relacionados con su educación. No suelen estar de acuerdo el uno con el otro en las normas que se le imponen a Carlos, lo que da lugar a que uno contradiga las órdenes del otro. La madre se define como más tranquila y más «blanda» que el padre. El padre se queja de «perder el control» en alguna ocasión y acabar dando a Carlos un par de azotes.

7.3. Evaluación

Después de la entrevista inicial en la que se recogieron los datos reseñados, se administró a los padres el *Inventario Eyberg de conducta en niños para padres* (Eyberg y Ross, 1978), con el fin da facilitar la identificación de aquellas conductas de Carlos que les resultaban más conflictivas. Se confeccionó un registro de observación para que los padres anotaran las conductas de desobediencia que aparecieran, así como la situación en que se daban y qué pasaba después (véase figura 7.1). Se les instruyó para que cada uno de ellos observara por separado, para identificar así posibles discrepancias en el concepto de «obediente», «desobediente». Se les pidió que lo rellenaran durante una semana.

En un primer momento se evaluaron únicamente las conductas problemáticas de Carlos en la casa, dado que eran las primeras sobre las que se iba a intervenir. Ambos progenitores estaban de acuerdo en actuar como coterapeutas. Se decidió que, más adelante, se hablaría con la profesora de Carlos para obtener información directa de los comportamientos del niño en el colegio.

Registro de observación realizado por:
Semana del 23-1-94 al 30-1-94

¿Qué pasa antes?	Conducta del niño	¿Qué pasa después?

Figura 7.1.

7.4. Resultados de la evaluación e hipótesis de trabajo

Los resultados de la evaluación pusieron de manifiesto:

1. Las conductas de desobediencia de Carlos se mantenían por refuerzo positivo, dado que:
   a) Eran objeto de una gran atención por parte de sus padres (sus padres estaban continuamente encima de él).
   b) Con estas conductas, Carlos conseguía lo que se proponía. Al no obedecer, Carlos podía, por ejemplo, continuar haciendo algo que le gustaba y que tendría que dejar de hacer para obedecer la orden (por ejemplo, cuando está jugando y su madre le manda ponerse en pijama, la desobediencia está recompensada por quedarse jugando un rato más).
2. Las conductas de desobediencia están reforzadas también negativamente. Al desobedecer, Carlos consigue no hacer cosas que le disgustan (por ejemplo, consigue no ponerse las zapatillas).
3. Las «travesuras» son muy reforzadas socialmente (por ejemplo, cuando soltó las gallinas, todo el mundo en el pueblo lo comentaba, los niños lo festejaron, etc. En las tiendas, los vendedores comentan «¡qué travieso es...!»).
4. No existe consistencia en las conductas de los padres ni respecto a la desobediencia ni respecto a las travesuras del niño. Unas veces le regañan, otras intentan premiarle si cumple lo pedido, otras veces intentan razonar con él, otras veces no hacen nada especial, aunque casi siempre permiten que el niño incumpla las órdenes.
5. Cuando se aplica castigo sobre estas conductas, no se hace de forma eficaz porque:

a) Se aplica de forma intermitente y aleatoria. No siempre depende de que Carlos emita o no una determinada conducta, sino de otros factores: estado de ánimo de los padres, irritabilidad, conductas anteriores del niño, etc. Por ejemplo, cuando el padre dice que ya no puede más y pierde el control, le grita y le pega.

b) Al castigo le sigue con mucha frecuencia la atención especial del otro padre, especialmente de la madre.

6. Los padres no refuerzan las conductas adecuadas de Carlos. Según dicen ellos «casi nunca hace nada bueno».

7.5. Plan de intervención

Dado que el listado de conductas que había que modificar era muy amplio, se les pidió a los padres que señalaran aquellas que deseaban cambiar en primer lugar. Éstas fueron las siguientes:

— *Desayunar* (si no le regañan, no desayuna): desearían que se sentara a desayunar sin tener que decírselo varias veces, y que lo hiciera en un período prudencial de tiempo (30 minutos).

— *Irse a la cama solo*: que se vaya a la cama cuando se lo ordenen sin que ninguno de los dos padres tenga que acompañarlo ni permanecer con él hasta que se quede dormido.

— *El comportamiento en las tiendas*: que cuando vaya a una tienda no toque las cosas.

Las dos primeras sesiones se dedicaron a explicar a los padres los principios básicos del refuerzo y del castigo, de modo que comprendieran por qué las conductas de Carlos se mantenían. Se les explicó también que debían mostrarse de acuerdo en qué conductas debían o no tratarse y que, una vez hecho esto, lo mantuvieran hasta el final. Se les indicó la necesidad de que actuaran de manera coordinada, de forma que si uno castigaba o premiaba al niño, el otro debía apoyar la decisión en vez de enfrentarse a ella. Se les comentó asimismo lo perjudicial que era el que mostrasen actitudes contrarias ante ciertas conductas de Carlos y el que actuaran desautorizándose mutuamente.

Se administró a Carlos un inventario de refuerzos, para seleccionar aquellos que se utilizarían en la intervención. También se instruyó a los padres a dar refuerzo social adecuado: relacionado específicamente con la conducta a reforzar («estoy muy contenta de que me hayas obedecido a la primera»), proporcionado inmediatamente a la conducta, y de forma continua (siempre que la conducta de obedecer de Carlos aparezca).

Como primera medida terapéutica se decidió someter a extinción las conductas inadecuadas de Carlos, instando a los padres a que cambiaran las contingencias de reforzamiento: halagaran y prestaran atención a los aspectos positivos del comportamiento de Carlos, y retiraran la atención de los comportamientos inadecuados. Se esperaba que este cambio, por parte de los padres, tendría un efecto motivador sobre las conductas adecuadas del niño.

Una vez establecida esta pauta de extinción sobre las conductas inadecuadas se instruyó a los padres para que fueran modificando de forma paulatina cada una de las conductas del listado.

Se decidió comenzar a modificar el comportamiento de Carlos durante el desayuno, por ser ésta una respuesta relativamente sencilla y que se predecía iba a modificarse en poco tiempo.

La intervención comprendía los pasos siguientes: definición de la conducta adecuada, incluyendo establecimiento de criterios para considerarla como tal, programa de reforzamiento, con refuerzos sociales y materiales, y extinción de atención a conductas inadecuadas. Se incluyó, asimismo, el registro de la conducta de Carlos a lo largo de la intervención.

En primer lugar, se pidió a los padres que definieran la conducta. Así, desayunar bien significaba: ingerir todo el desayuno, sin protestar, en media hora o menos, no levantarse de la mesa mientras desayunaba y no fingir vómitos, arcadas, etc.

Se diseñó un registro, para todos los días del mes, que tenía que completar el niño: si el desayuno había transcurrido sin incidencias, Carlos dibujaba una carita sonriente; si las había habido, dibujaba una carita triste (véase figura 7.2). La decisión la tomaban conjuntamente Carlos y sus padres. En caso de desacuerdo, prevalecía la opinión de los padres. Se le explicó a Carlos el procedimiento que se iba a llevar a cabo para modificar sus conductas inadecuadas durante el desayuno, de modo que quedaran claras las consecuencias de sus conductas, tanto de las adecuadas como de las que se querían eliminar.

Para reforzar las conductas adecuadas durante el desayuno, los padres proporcionaban halagos y caricias de forma

Conducta: desayunar
Semana del 13-2-94 al 20-2-94

Lunes	Martes	Miércoles	Jueves	Viernes	Sábado	Domingo

Figura 7.1.

inmediata («qué bien has desayunado hoy, que contenta estoy contigo»); por otro lado se estableció un refuerzo material continuo al principio e intermitente más adelante (así, durante la primera semana, la madre le compró un bollo de chocolate para el recreo cada día que desayunaba bien; la segunda semana, por cada tres días sin incidencias en el desayuno, Carlos conseguía un postre especial, etc.). A medida que pasaba el tiempo, se fue incrementando el número de desayunos adecuados necesarios para obtener refuerzos.

Si, por el contrario, Carlos se comportaba de manera inadecuada, los padres no le prestaban atención, le retiraban el desayuno transcurrida media hora y no le daban alimentos para la hora del recreo.

Cuando la conducta de desayunar adecuadamente se estableció definitivamente (durante un mes, todos los desayunos transcurrieron sin incidencia), el refuerzo pasó a ser aleatorio: de cuando en cuando, sin regla fija, los padres reforzaban el que el niño desayunase bien.

La siguiente conducta que se modificó fue la de *ir a la cama solo, cuando los padres lo ordenaban.*

Estaba claro que la conducta de Carlos (cuando le mandan irse a la cama llora, protesta y exige que se queden con él) está mantenida fundamentalmente por la atención que le prestan sus padres y por conseguir su objetivo: quedarse en el salón o que sus padres se queden con él en su cuarto. Por tanto, se pensó que la extinción de la atención de los padres a las conductas inadecuadas (llamarles, volver al salón, pedir compañía, etc.) podía reducir tales conductas. En concreto, la intervención sobre este problema se llevó a cabo mediante extinción de las protestas y llamadas del niño, instigación física y verbal para las conductas de levantarse y reforzamiento de la respuesta alternativa, irse a la cama cuando se le ordenara y permanecer allí solo. Se estableció un autorregistro similar al del apartado anterior.

Se pidió a los padres que hablaran con Carlos y le explicaran que, a partir de ese día, no iban a ceder a sus exigencias en ese tema y que tendría que irse a la cama cuando se lo indicaran. Se les dieron las instrucciones concretas de lo que debían hacer: indicarle a Carlos que debía acostarse, no atender a sus llamadas y llevarle a la cama, repitiendo la orden (y sin decir nada más) cada vez que Carlos se levantara. Se les indicó explícitamente que en ningún caso debían acostarse con él ni permitirle que se quedara en el salón después de haberle mandado a la cama. Se les advirtió que, muy posiblemente, Carlos se mostraría muy insistente en sus conductas, pero que debían mantenerse firmes y bajo ninguna circunstancia ceder a sus exigencias. Se les explicó que, si al cabo de algún tiempo, cedían, estaban reforzando mucho más la conducta y haciéndola muy resistente.

Se utilizó también refuerzo de conductas alternativas. Se instruyó a Carlos para que realizara cada día un registro de la conducta de irse a la cama adecuadamente: el día que lo hacía bien, dibujaba una carita sonriente; si no, una carita triste. Al igual que en el caso anterior, se estableció un programa de refuerzo, continuo al principio e intermitente más adelante. En pocas semanas, Carlos se iba todos los días a la cama sin protestar, y, por ello, sus padres le daban un refuerzo de cuando en cuando.

Por último, expondremos cómo se abordó la conducta de *tocar cosas en las tiendas*. Era necesario que la conducta se redujera rápida y drásticamente, por lo que se pensó que lo más adecuado era establecer un procedimiento de tiempo fuera, combinado con un procedimiento de reforzamiento de la conducta adecuada: permanecer en la tienda sin tocar las cosas.

De nuevo, se pidió a los padres que explicaran a Carlos que, a partir de ese día, recibiría consecuencias negativas por tocar y romper las cosas de las tiendas y, por el contrario, obtendría algunos refuerzos (sociales y materiales) si no tocaba nada. El niño ya estaba familiarizado con el cambio de contingencias que seguían a sus conductas, por lo que entendió perfectamente la explicación y eso contribuyó a la buena marcha de la intervención.

Se escogió el tiempo fuera porque el tocar las cosas era para Carlos muy reforzante y porque, por otro lado, al emitir estas conductas recibía también refuerzo social por parte de sus padres (atención) y por parte de otras personas presentes («hay que ver lo malo que eres», «pues vaya un niño travieso»).

Se instruyó a los padres para que cuando el niño fuera a tocar algo, le dieran un aviso («No toques eso»). Si, a pesar del aviso, Carlos cogía algo debían cogerlo del brazo y sacarlo de la tienda inmediatamente, sin decirle nada, excepto la instrucción: «Carlos, sabes que no debes tocar nada». Eso debían hacerlo cada vez que el niño emitiera la conducta que queríamos reducir. Debían permanecer fuera de la tienda sin hablar con él durante tres minutos y luego volver a entrar en la tienda. Si el niño protestaba o lloraba, debían dejar transcurrir al menos medio minuto antes de volver a entrar.

De nuevo, se hizo hincapié en la necesidad de mostrarse firmes y consistentes en su conducta, y no permitir que Carlos tocara nada sin sacarle de la tienda. Al igual que con las conductas anteriores, se estableció un programa de reforzamiento de la conducta adecuada (permanecer en la tienda sin tocar nada) utilizando reforzadores sociales (halagos, caricias, comentarios positivos) y materiales (chucherías, juguetes y comidas especiales).

Tal y como ocurrió con las otras conductas, la intervención resultó eficaz para reducir el comportamiento inadecuado de Carlos.

Se instruyó a los padres para que fueran seleccionando otras conductas problemáticas y modificándolas de acuerdo a los principios aquí expuestos, sin olvidar reforzar los comportamientos adecuados de Carlos.

7.6. Valoración del tratamiento

Los resultados pusieron de manifiesto que el programa había sido eficaz en la modificación de las conductas de Carlos. Lo más sorprendente para los padres era que se había producido un cambio general en el comportamiento de Carlos, incluso en relación a conductas que no habían sido directamente tratadas. La profesora del colegio también informó de una mejoría en su comportamiento, a pesar de que allí no se había intervenido. La modificación producida en el comportamiento de Carlos es atribuible al cambio producido en las contingencias. Seis meses después del tratamiento los padres informaron de seguir satisfechos del comportamiento de Carlos.

Resumen

Se describe un caso de un niño de 7 años llevado a la consulta del psicólogo por sus padres, debido a su conducta desobediente y a sus continuas travesuras tanto en casa como en la escuela. Se realizó una evaluación que consistió en entrevistas y observación por parte de los padres de las conductas del niño. Los resultados de la evaluación pusieron de manifiesto que esas conductas se habían desarrollado y se mantenían por medio de reforzamiento positivo y negativo, así como por la inexistencia de una pauta adecuada de refuerzo para conductas alternativas. Se instruyó a los padres sobre los principios básicos de aprendizaje en dos sesiones y se les fue orientando y programando el cambio de las primeras conductas. Los resultados, tanto al final del tratamiento como a los seis meses de seguimiento, revelaron una conducta adecuada tanto por parte del hijo como de los padres.

LECTURAS RECOMENDADAS

Herbert, M. (1987). *Los problemas de los niños. Una guía práctica para prevenirlos o tratarlos.* Barcelona: Planeta.

Es un libro especialmente pensado para padres y, por tanto, muy sencillo y claro en su exposición. Son de especial relevancia los capítulos dedicados al manejo de las rabietas y al uso del castigo.

Peine, H. y Howarth, R. (1990). *Padres e hijos. Problemas cotidianos de conducta.* Madrid: Siglo XXI (6.ª edición) (orig., 1975).

Es un libro muy sencillo y práctico orientado a padres. Todo el libro es muy claro con múltiples ejemplos y ejercicios de autocomprobación. De especial interés son los capítulos dedicados a cómo describir y posteriormente evaluar o medir la conducta problemática del niño.

Pelechano, V. (1980). *Terapia familiar comunitaria* (capítulo VIII). Valencia: Alfaplús.

Es un libro técnico más bien orientado a profesionales. Al final del mismo se recogen unas guías muy prácticas de cómo actuar en diversas situaciones cotidianas.

Rinn, R. C. y Markle, A. (1981). *Paternidad positiva,* México: Trillas.

Es un libro dedicado a padres y profesores en el que se explica de forma clara y sencilla cómo aplicar los principios básicos del aprendizaje en la educación de los hijos para así mejorar la interacción familiar.

Sulzer-Azaroff, B. y Meyer, G. R. (1988). *Procedimientos del análisis conductual aplicado en niños y jóvenes*. México: Trillas.

Es un libro técnico, uno de los mejores textos en castellano sobre técnicas operantes. Es un libro claro e ilustrado por múltiples ejemplos que facilitan y hacen muy amena su lectura.

Valles Arandiga, R. (1990). *Cómo cambiar la conducta infantil: guía para padres*. Madrid: EOS.

Es un libro práctico, que quizá por el tipo de lenguaje que utiliza esté más recomendado a maestros y pedagogos que a padres. Sin embargo, a pesar de ser algo más técnico que otras guías aquí recomendadas, es claro y ameno.

BIBLIOGRAFÍA

Achenbach, T. M. y Edelbrok, C. S. (1981). Behavioral problems and competencies reported by parents of normal and disturbed children aged four through sixteen. *Monographs of the Society for Research in Child Development, 4 (188).*

American Psychiatric Association (1994). *Diagnostic and Statistical Manual of Mental Disorders (4th ed.).* Washington D. C.: American Psychiatric Association.

Barkley, R. (1987). *Defiant Children: A Clinician's Manual for Parent Training*. Nueva York: Guilford Press.

Cervera, M. y Feliu, H. (1984). *Asesoramiento familiar en educación infantil: guía práctica.* Madrid: Visor.

Dishion, T. J. (1990). The family ecology of boy's peer relations in middle chilhood. *Child Development, 61:* 874-892.

Doke, L. A. y Flippo, J. R. (1986). Conducta agresiva y oposicionista. En T. H. Ollendick y M. Hersen (eds.), *Psicopatología infantil*, Barcelona: Martínez Roca (orig., 1983).

Doll, B. y Kratochwill, T. (1992). Treatment of parent-adolescent conflict through behavioral technology training: a case study. *Journal of Educational and Psychological Consultation, 3:* 281-300.

Ducharme, J. y Popynick, M. (1993). Errorless compliance to parental request: Treatment effects and generalization. *Behavior Therapy, 24:* 209-226.

Dumas, J. (1992). Conduct disorder. En S. M. Turner, K. S. Calhoun y H. E. Adams (eds.), *Handbook of Clinical Behavior Therapy*. Nueva York: John Wiley.

Dumas, J. y Lechowiz, J. (1989). When do noncompliant children comply? Implications for family behavior therapy. *Child and Family Behavior Therapy, 11:* 21-38.

Dumas, J. y Whaler, R. G. (1985) Indiscriminate mothering as a contextual factor in aggressive-oppositional child behavior: Damned if you do, damned if you don't. *Journal of Abnormal Child Psychology, 13:* 1-17.

Eyberg, S. M. y Ross, M. (1978). Assessment of child behavior problems. *Journal of Clinical Psychology,* 3: 113-116.

Forehand, R. y McMahon, R. J. (1981). *Helping the Noncompliant Child: A Clinican's Guide to Parent Training.* Nueva York: Guilford Press.

Gardner, W. I. y Cole, C. L (1987). Conduct problems. En C. L. Frame y J. L. Matson (eds.), *Handbook of Assessment in Chilhood Psychopathology,* Nueva York: Plenum.

Gelfand, D. M. y Hartmann, D. P. (1989). *Análisis y terapia de la conducta infantil.* Madrid: Piramide.

Gross, A. (1993). Conducta oposicionista. En M. Hersen y C. Last (eds.), *Manual de casos de terapia de conducta.* Bilbao: Desclée de Brouwer (orig., 1985).

Gross, A., Sanders, S., Smith, C. y Samson, G. (1990). Increasing compliance with orthodontic treatment. *Child and Family Behavior Therapy, 12:* 13-23.

Hall, R. V. y Hall, M. C. (1980). *How to Use Time Out.* Lawrence, K. S.: H & H Enterprises.

Kazdin, A. E. (1993). Tratamientos conductuales y cognitivos de la conducta antisocial en niños: avances de la investigación. *Psicología Conductual,* 1: 111-144.

Little, L. y Kelly, M. (1989). The efficacy of response cost procedures for reducing children's noncompliance to parental instructions. *Behavior Therapy, 20:* 525-534.

Loeber, R. (1990). Development and risk factors of juvenile antisocial behavior and delinquency. *Clinical Psychology Review, 10:* 1-41.

McMahon, R. J. (1991). Entrenamiento de padres. En V. E. Caballo (comp.), *Manual de técnicas de terapia y modificación de conducta.* Madrid: Siglo XXI.

McMahon, R. J. y Forehand, R. (1988). Conduct disorders. En E. J. Mash y L. G. Terdal (eds.), *Behavioral Assessment of Childhood Disorders* (2.ª ed.). Nueva York: Guilford.

Megharg, S. y Lipscker, L. (1991). Parent training using videotape self-modeling. *Child and Family Behavior Therapy, 13:* 1-27.

Patterson, G. R. (1982). *Coercive Family Process,* Eugene, Or: Castalia.

Patterson, G. R. (1986). Performance models for antisocial boys, *American Psychologist, 14*: 432-444.
Patterson, G. R., DeBaryshe, B. D. y Ramsey, E. (1989). A developmental perspective on antisocial behavior. *American Psychologist, 44*: 329-335.
Patterson, G. R. y Bank, L. (1986). Bootstrapping your way in the nomological thicket, *Behavioral Assessment, 8*: 49-73.
Peine, H. A. y Howarth, R. (1990). *Padres e hijos. Problemas cotidianos de conducta.* Madrid: Siglo XXI (6.ª edición) (orig., 1975).
Pelechano, V. (1980). *Terapia familiar comunitaria.* Valencia: Alfaplús.
Piacentinni, J., Schaughency, E. y Lahey, B. (1993). Rabietas. En M. Hersen y C. Last. (eds.), *Manual de casos de terapia de conducta.* Bilbao: Desclée de Brouwer.
Reid, W. J., y Crisafulli, A. (1990). Marital discord and child behavior problems: a meta-analysis. *Journal of Abnormal Child Psychology, 18:* 105-117.
Rinn, R. C. y Markle., A. (1981). *Paternidad positiva,* México: Trillas.
Schneider-Rosen, K. y Wenz-Gross, M. (1990). Patterns of compliance from eighteen to thirty months of age. *Child Development, 61:* 104-112.
Sloane, H., Endo, G., Hawkes, T. y Jenson, W. (1990). Improving child compliance through self-instructional parent training materials. *Child and Family Behavior Therapy, 12:* 39-64.
Valles, A. (1988). *Modificación de la conducta problemática del alumno. Técnicas y programas.* Alcoy: Marfil.
Whaler, R. G. (1983). Comportamiento infantil aberrante dentro de la familia: especulaciones sobre el desarrollo y estrategias de cambio conductual. En H. Leitenberg (eds.), *Modificación y terapia de conducta.* Madrid: Morata (orig., 1976).
Whaler, R. G. y Dumas, J. E. (1986). Maintenance factors in coercive mother-child interactions: The compliance and predictability hypoteses. *Journal of Applied Behavior Analysis, 19:* 13-22.
Whaler, R. G. y Dumas, J. E. (1987). Family factors in childhood psychopathology: a coercion-neglect model. En T. Jacob (ed.), *Family Interaction and Psychopathology: Theories, Methods, and Findings.* Nueva York: Plenum.

TÍTULOS PUBLICADOS

SECCIÓN: TRATAMIENTO

AGRESIVIDAD INFANTIL, *I. Serrano* (4.ª ed.).
ALCOHOLISMO JUVENIL, *R. Secades* (3.ª ed.).
ANOREXIA Y BULIMIA: TRASTORNOS ALIMENTARIOS, *R. M.ª Raich* (6.ª ed.).
APRENDER A ESTUDIAR, *C. Fernández* (4.ª ed.).
ASMA BRONQUIAL, *C. Botella y M.ª C. Benedito.*
CONDUCTA ANTISOCIAL, *A. E. Kazdin y G. Buela-Casal* (6.ª ed.).
CONDUCTAS AGRESIVAS EN LA EDAD ESCOLAR, *F. Cerezo* (coord.) (3.ª ed.).
DÉFICIT DE AUTOESTIMA, *M.ª P. Bermúdez.*
DIABETES INFANTIL, *M. Beléndez, M.ª C. Ros y R. M.ª Bermejo.*
DISLEXIA, DISORTOGRAFÍA Y DISGRAFÍA, *M.ª R. Rivas y P. Fernández* (6.ª ed.).
EL DESARROLLO PSICOMOTOR Y SUS ALTERACIONES, *P. Cobos Álvarez* (4.ª ed.).
EL JUEGO PATOLÓGICO, *R. Secades y A. Villa.*
EL NIÑO CELOSO, *J. M. Ortigosa.*
EL NIÑO CON MIEDO A HABLAR, *J. Olivares* (4.ª ed.).
EL NIÑO DESOBEDIENTE, *C. Larroy y M.ª L. de la Puente* (6.ª ed.).
EL NIÑO HOSPITALIZADO, *M.ª P. Palomo* (2.ª ed.).
EL NIÑO QUE NO SONRÍE, *F. X. Méndez* (2.ª ed.).
ENCOPRESIS, *C. Bragado.*
HIPERACTIVIDAD, *I. Moreno* (6.ª ed.).
IMAGEN CORPORAL, *R. M.ª Raich.*
LA TARTAMUDEZ, *J. Santacreu y M.ª X. Froján* (4.ª ed.).
LA TIMIDEZ EN LA INFANCIA Y EN LA ADOLESCENCIA, *M.ª I. Monjas Casares.*
LA VIOLENCIA EN LAS AULAS, *F. Cerezo.*
LAS DROGAS: CONOCER Y EDUCAR PARA PREVENIR, *D. Macià* (6.ª ed.).
LOS TICS Y SUS TRASTORNOS, *A. Bados* (2.ª ed.).
LOS TRASTORNOS DEL SUEÑO, *G. Buela-Casal y J. C. Sierra* (3.ª ed.).
MALTRATO A LOS NIÑOS EN LA FAMILIA, *M.ª I. Arruabarrena y J. de Paúl* (5.ª ed.).
MIEDOS Y TEMORES EN LA INFANCIA, *F. X. Méndez* (2.ª ed.).
ORDENADORES Y NIÑOS, *S. Gismera Neuberger.*
PADRES E HIJOS, *M. Herbert.*
PROBLEMAS DE ALIMENTACIÓN EN EL NIÑO, *A. Gavino* (3.ª ed.).
PROBLEMAS DE ATENCIÓN EN EL NIÑO, *C. López y J. García* (3.ª ed.).
RELACIÓN DE PAREJA EN JÓVENES Y EMBARAZOS NO DESEADOS, *J. Cáceres y V. Escudero* (2.ª ed.).
RETRASO MENTAL, *M. A. Verdugo y B. G. Bermejo* (2.ª ed.).
TABACO Y SALUD, *E. Becoña, A. Palomares y M.ª P. García* (3.ª ed.).
TRASTORNOS DE ANSIEDAD EN LA INFANCIA, *E. Echeburúa* (5.ª ed.).

SECCIÓN: DESARROLLO

UN ADOLESCENTE EN MI VIDA, *D. Macià Antón.*
COMPETENCIA SOCIAL: SU EDUCACIÓN Y TRATAMIENTO, *M.ª V. Trianes, A. M.ª Muño y M. Jiménez* (2.ª ed.).
DESARROLLO DE HABILIDADES EN NIÑOS PEQUEÑOS, *F. Secadas, S. Sánchez y J. M.ª Román* (4.ª ed.).
DESCUBRIR LA CREATIVIDAD, *F. Menchén.*
EDUCACIÓN PARA LA SALUD, *M. Costa y E. López* (3.ª ed.).
EJERCICIO FÍSICO SALUDABLE EN LA INFANCIA, *A. Gómez y F. X. Méndez.*
EL ADOLESCENTE Y SUS RETOS, *G. Castillo* (2.ª ed.).
ESCUELA DE PADRES, *J. A. Carrobles y J. Pérez-Pareja* (3.ª ed.).
NIÑOS INTELIGENTES Y FELICES, *L. Perdomo.*
NIÑOS SUPERDOTADOS, *A. Acereda Extremiana.*
TÉCNICAS DE TRABAJO EN GRUPO, *P. Fuentes, A. Ayala, J. I. Galán y P. Martínez.*
TÉCNICAS DE TRABAJO INDIVIDUAL Y DE GRUPO EN EL AULA, *P. Fuentes, J. I. Galár J. F. de Arce y A. Ayala* (4.ª ed.).
TODO UN MUNDO POR DESCUBRIR, *E. Fodor y M. Morán* (2.ª ed.).
TODO UN MUNDO DE SENSACIONES, *E. Fodor, M.ª C. García-Castellón y M. Morán* (5.ª ed.)